100% Fee

Van Niki Smit zijn verschenen:

100% Nina
100% Lola
100% Anna
100% Bo
100% Love – Zomerkriebels
100% Fee

Niki Smit

100% Fee

De Fontein

www.defonteinmeidenboeken.nl
www.nikismit.nl

Derde druk, 2011

Omslagafbeelding en illustraties: Miranda Klaver
Omslagontwerp en grafische verzorging: Hans Gordijn
Foto Niki Smit: Ineke Oostveen

ISBN 978 90 261 2688 8
NUR 283, 284

Zoenboekje

12 redenen waarom ik jongens niet snap:

1. Ik heb geen jongensgeluk. En dat terwijl ik MODEL ben. Modellen hebben toch altijd stoere vriendjes met tatoeages, motorlaarzen en sexy haren die in rockbands spelen? Nou, ik niet dus. Er is geen jongen die mij ziet staan, en dat terwijl ik 1.83 lang ben.
2. Misschien komt dat doordat ik puntknieën heb? Normale meisjes hebben gewone, ronde knieën die netjes in een been passen, maar die van mij steken eruit. GEEN gezicht. Als ik een jongen was, zou ik ook niet op mij vallen.
3. Trouwens, ik ben bang voor jongens. Ik ben al honderd jaar verliefd op Thijs, maar dat durf ik niet tegen hem te zeggen. O ja, toen ik vier jaar was heb ik hem een keer in de zandbak ten huwelijk gevraagd, maar ik denk niet dat dat telt.
4. Ik ben langer dan alle jongens uit mijn klas. Het zou er ook IDIOOT uitzien als ik met een van hen zou zoenen! Dan moet hij op z'n tenen gaan staan. Zie je het voor je? En dan is het nog maar de vraag of hij bij mijn mond kan. Eigenlijk moet ik iemand heel dankbaar zijn dat ik geen vriendje heb. Maar wie?
5. Ik denk dat ik helemaal niet kan zoenen. Mijn mond is veel te groot. Mijn mondhoeken zitten bijna naast mijn oren in plaats van onder m'n neus. Hoe kan ik nou zoenen als mijn mond niet op een andere mond past?
6. Ik snap toch helemaal NIKS van jongens. Laatst schopte Roy uit de derde vijf keer loeihard een voetbal tegen mijn tas.

En toen zei mijn beste vriendin Laura: 'Dat is een trucje, hij vindt je leuk!' Hoe weet ze dat soort dingen??

7. Misschien mis ik bepaalde hersenen die dat soort dingen begrijpen, ik heb vast een kuiltje ergens binnen in m'n hoofd.
8. Ik snap ook niet waarom kuiltjes in je kin altijd precies in je kin zitten. Waarom heeft er niemand kuiltjes in z'n voorhoofd of in z'n neus? Ik heb ook zo'n kuiltje, dus misschien dat ik daarom niks van jongens snap. Zou het waar kunnen zijn dat alle meisjes met een kuiltje in hun kin niks van jongens snappen?
9. Mijn kleine teen is net zo lang als de teen ernaast. Misschien is DAT het wel.
10. Mijn moeder geeft les in seksuele voorlichting! En daarvoor gebruikt ze mij als proefkonijn. En dat terwijl ik TEGEN proefkonijnen ben. Ze praat over seks alsof ze het over boodschappen heeft. Ik schaam me totaal te pletter voor haar.
11. Wat ik ook niet snap: waarom kan ik niet normaal tegen een jongen doen als ik verliefd op hem ben? En waarom kan Laura dat wel? Al vind ik het ook niet helemaal normaal dat ze haar borsten naar voren duwt en heel hard gaat giechelen zodra ze een leuke jongen ziet.
12. Gelukkig is er nog een piepklein zonnestraaltje aan mijn hemel. Mijn konijn Siem gaat knabbelen aan z'n hokje zodra hij mijn stem alleen al hóórt. Ik heb hem twee jaar geleden gekregen toen mijn lievelingsopa overleden was. Hij is mijn troostkonijn. Als ik hem oppak, knabbelt hij altijd even aan m'n oor alsof hij me een kusje geeft. Heb je ooit een konijn een kus zien geven? Dat bedoel ik! Ik ben gewoon beter in konijnen dan in jongens.

De zon valt door het hoge raam het klaslokaal binnen. Fee staart naar Thijs. Hij heeft een nieuw T-shirt aan. Dromerig tuurt ze naar de streepjes op z'n shirt. Sinds wanneer is zijn haar zo lang? Het staat stoer, hij lijkt wat ouder ook. Ze voelt haar wangen een beetje gloeien. Stel dat het vandaag zomer zou zijn, denkt ze. En dat het klaslokaal een strandhut op een onbewoond eiland was waar zij en Thijs gestrand waren. En dat ze normale benen zonder puntknieën had. Dan zou ze van palmbladen een bikini maken en Thijs meeslepen naar een sprookjesachtige lagune. Hij zou haar de lucht in tillen en zachtjes in het water laten vallen. De spetters van het water zouden veranderen in kleine, fonkelende sterren. Zij zou als een zeemeermin het water uit komen en hem zachtjes kussen. En woelen door z'n lekkere haar, dat ook. Hij zou een ring van schelpen voor haar maken en...

Fee schrikt op omdat Thijs naar haar glimlacht. Snel buigt ze haar hoofd over de tafel en doet alsof ze druk bezig is met haar proefwerk. Het lijkt net of hij elke dag een beetje leuker wordt. Stop, stop, stop, ze moet haar proefwerk maken. Thijs is slecht voor haar concentratie. Ze kijkt op de klok. Nog twintig minuten voor vier opgaven. Zat ik maar in een andere klas, denkt ze. Ik word totaal warrig van hem. Maar dan zou ik niet de hele les naar hem kunnen kijken. Maar wel sommen maken. Maar niet kijken. AAAARRGGG. Yza prikt met een vinger in haar rug.

'Voor Thijs,' fluistert Yza terwijl ze een stapel kleine briefjes op de hoek van haar tafel legt.

Fee steekt haar hand naar achter en grabbelt de briefjes vlug van tafel. Ze wacht tot meneer Derksen de andere kant op kijkt en vouwt de briefjes voorzichtig open.

Thijsie! Goed shirt! XXX Suuz

Heb onze namen in die liefdestest gezet, 93% kans! LOL Fie

Thijs, wat doe je vanmiddag? Zin in een dvd bij mij? Kus Ilayda

Kus Ilayda? Sinds wanneer zit Ilayda achter Thijs aan, denkt Fee, terwijl ze naar Ilayda's popperige gezicht kijkt. Ilayda is een klein meisje met donkere krullen en gitzwarte ogen. En ze kan ook nog eens ontzettend goed dansen. Thijs vindt haar vast veel leuker. Weer voelt ze een por in haar rug. Nog een briefje. Ze wacht tot de leraar niet kijkt en pakt het snel aan.

T. bh-bandje zit los, kun je 'm even vastmaken?

Opeens springt meneer Derksen op van zijn stoel en loopt door de klas. Vlug verstopt Fee het briefje onder haar bureau. De leraar stopt vlak naast haar tafel. Eerst bestudeert hij haar proefwerk en dan vist hij met een snelle beweging het briefje van haar schoot.

'Het is geen spiekbrief!' piept Fee.

'Dat zullen we nog wel eens zien.' Met een geamuseerde grijns loopt haar leraar naar zijn bureau en vouwt het briefje open. '"T. bh-bandje zit los, kun je 'm even vastmaken?"'

Met een plof laat Fee haar hoofd op haar proefwerk vallen.

'T, eens even denken. De T van Thijs?' lacht meneer Derksen.

'Dat briefje is niet van mij.'

'Per ongeluk op je schoot beland?'

'Ik heb niet eens een bh!' roept Fee.

'Nou, ik stel voor dat de dame die dit briefje geschreven heeft, voor het gemak ga ik er maar van uit dat het een van de meiden is, zo even naar het toilet gaat om haar bh zelf vast te maken. Of zijn er hier ook jongens die graag een bh'tje dragen?'

De hele klas ligt in een deuk.

'En nu verder met jullie proefwerk!' roept de leraar met een brommende stem.

'Fee, wat heb jij bij vraag drie?' vraagt Samira terwijl ze met haar voet de klapdeur open schopt.

Het is pauze. Uit alle hoeken van het oude schoolgebouw rennen leerlingen naar de hal. Bij het loket van de schoolkantine staat nu al een lange rij en voor de lockers hangen groepjes smoezende meisjes.

'Het proces van slijtage van een oppervlak waarbij die dingen worden verplaatst of geheel verdwijnen of zoiets,' roept Fee boven het geroezemoes uit.

'En bij vraag zeven?'

'Iets met dennen en pioniersplanten?' Fee steekt haar armen in haar spijkerjasje en holt achter Samira aan naar buiten.

'Shit, ik heb duinen bouwen opgeschreven. Denk je dat je het goed hebt?' Buiten ploft Samira op een houten bank neer en grabbelt haar aantekeningen uit haar tas. 'Lau, wat had jij bij vraag zeven?'

'Niks, wat een onzin om aardkorsten en zandtoestanden uit je hoofd te leren, ik ga mijn hersenen echt niet vervuilen met dat soort nutteloze dingen. Stel dat m'n hoofd op een dag vol zit? Dan kan ik helemaal geen leuke dingen meer onthouden.'

Fee buigt haar gezicht dichter naar Laura. 'Je hebt inderdaad een klein hoofd.'

Vlug legt Samira haar handen tegen haar voorhoofd. 'Heb ik ook een klein hoofd? Of denk je dat ik meer ruimte heb dan Lau?'

'Iets meer ruimte, maar je moet wel oppassen. Misschien moet je ook stoppen met onzin uit je hoofd te leren,' zegt Fee, terwijl ze met haar vingers tegen haar eigen schedel tikt.

Verveeld kijkt Laura voor zich uit. Een paar jongens uit de tweede lopen naar buiten en gooien hun rugzak voor Laura's voeten. Direct strekt Laura haar rug en glimlacht breed.

'Knappejongensalarm,' neuriet Samira.

'Die met die krullen is dus het slimst want hij heeft het grootste hoofd,' fluistert Laura, terwijl ze de jongens inspecteert.

'Misschien is zijn hoofd wel leeg,' mompelt Fee.

Laura's blauwe ogen rollen van links naar rechts alsof ze een tenniswedstrijd aan het bekijken is. 'Welke kan het lekkerst zoenen, kun je dat ook ergens aan zien, Fee?'

'Aan z'n tong?'

'Sam, als jij nou eens vraagt of ze hun tong even uit willen steken?' lacht Laura.

Dan ziet Fee Thijs naar buiten lopen. Hij gaat op het bankje tegenover hen zitten.

'Is het jullie ook opgevallen dat Thijs opeens zo lekker geworden is?' hunkert Laura.

Fee schrikt. 'Hoe kom je daar nou bij?'

'Gewoon, z'n haar is zo lekker lang en hij heeft een stoer T-shirt aan.'

'Pfff, de jongens uit onze klas zijn zo kinderachtig.' Fee wappert met haar handen alsof Thijs lucht voor haar is.

Laura zwiept haar lange, blonde haren over een schouder en glimlacht mysterieus naar Fee en Samira. 'Kom eens hier, ik heb een geheim.'

Ze heeft toch niet al met Thijs gezoend? denkt Fee.

'Ik ga iets spannends doen. Een soort wetenschappelijk experiment,' zegt Laura geheimzinnig.

'Je wilt je hersenen toch alleen vullen met leuke dingen?' Zenuwachtig friemelt Fee aan de stiksels van haar paarse rokje.

'Geloof me, dit is leuk!' zegt Laura. Haar blauwe ogen twinkelen.

Samira's donkerbruine ogen worden zo groot als sinaasappels. 'Je gaat toch niet met die Arno van gym zoenen! Ik zag je wel kijken gisteren.'

'Dat lijkt me echt een ontzettend goed plan,' zucht Fee opgelucht.

'Hij is tweeëntwintig! Docenten mogen niet zoenen met leerlingen,' gilt Samira.

Fee vist haar boterhammen uit haar tas. 'Volgens mij is hij pas zeventien, hoor. En hij loopt stage. Over een halfjaar is hij je docent niet meer.'

Laura glundert. 'En hij heeft al minstens vijf jaar zoenervaring!'

'Waar gaat dit over?' vraagt Samira verbaasd.

'Nou, ik zal het even uitleggen. Voor mijn experiment ben ik op zoek naar jongens met zoenervaring.' Laura trekt haar rugzak open en haalt er een lichtroze Dora-boekje uit.

'En de resultaten schrijf ik dan op in dit zoenboekje. Eigenlijk is het een soort cursus, maar ik ben zelf de leraar. Of lerares. Of eigenlijk zijn die jongens de docenten, maar ze leren natuurlijk ook weer wat van mij.'

Verbijsterd staart Fee naar Laura. 'Moet je dan ook examen doen?'

'Dat is wel een goed idee. Ik kan natuurlijk aan een jongen vragen of hij een evaluatieformuliertje kan invullen...'

'Lau, doe normaal!' piept Samira. 'Je kunt toch aan jongens merken of ze het lekker vinden? Dan gaat hun hart gaat sneller kloppen, dat lees ik altijd in boeken. Of ze gaan ervan kwijlen.'

'Getverderrie, ik ben aan het eten!' Fee spuugt een hap brood uit haar mond.

'Daarom moet je ook altijd tissues meenemen of papieren zakdoekjes,' zegt Laura.

Samira pakt het roze Dora-boekje van Laura's schoot. 'En dat staat allemaal in dit boekje?'

'Ja, bij het hoofdstuk "benodigdheden".'

'Benodigdheden voor een tongzoen,' leest Samira voor. 'Labello, een spiegeltje, zakdoekjes, kauwgom of tic tacs en water. Water?'

'Van zoenen krijg je dorst,' zegt Laura wijs.

'Lau, je bent echt gek geworden. Zullen we na Engels even langs een huisarts lopen?' vraagt Samira terwijl ze verder bladert in het boekje. 'Actiepunten?'

'Dat is een lijstje met jongens die op mijn actielijstje staan.'

'Wat ontzettend romantisch van je, Lau!' Fee vouwt haar handen tegen haar hart en knippert theatraal met haar ogen. Ze haalt haar vinger langs haar wimpers alsof ze een traan wegpinkt.

'Ik ga m'n eerste zoen toch niet aan de liefde van m'n leven geven? Stel dat het mislukt, dan ga ik af als een gieter. Ik wil gewoon even met die jongens zoenen om een beetje te experimenteren, weet je wel.'

Fee vouwt haar armen over elkaar. 'Ik ben tegen proefkonijnen.'

'Een beetje snel zoenen en dan langzaam. Weten jullie tot hoe ver je je tong in iemands mond moet steken? Hoe kom je daar anders achter, nou?'

Verbluft kijkt Fee naar Laura. 'En hoeveel jongens duurt die cursus dan?'

'Dat hangt ervan af hoe snel je leert.'

Fee buigt zich over Laura heen en kijkt naar het actielijstje. Op nummer vier staat Thijs. 'Thijs op nummer vier?' vraagt ze verschrikt.

'Ja, misschien moet ik Thijs toch maar op nummer één zetten,' zegt Laura terwijl ze verlekkerd naar hem kijkt. 'Hij heeft in de vakantie met negen meisjes gezoend. En ook met Lana uit de derde.'

Fee laat haar boterham uit haar handen vallen. Thijs heeft met negen meisjes gezoend. En ook met Lana. Waarom weet ze dit niet? 'Lana is VIJFTIEN!'

'Precies. En Lana heeft met de halve school gezoend, dus van haar heeft hij vast veel geleerd.'

'Thijs leert helemaal niet snel. Hij is ook helemaal niet goed in Frans. Ik bedoel, Thijs! Hij zit bij ons in de klas, weet je nog? Ik zou hem op nummer tien zetten. Of helemaal van je lijst af halen.' Fee voelt haar maag uit elkaar knallen. Alsof er twintig soldaten aan een oorlog zijn begonnen.

'Ik heb van Lana gehoord dat hij juist supergoed kan zoenen. Verbaast me niks, hij heeft volle lippen. En dat lange haar staat hem zo sexy! Misschien moet ik vandaag na schooltijd met hem zoenen, in het fietsenhok.'

'Je hebt geen zakdoekjes!' roept Fee paniekerig. Ze moet Laura stoppen. Thijs kan onmogelijk met een van haar beste vriendinnen zoenen. Stel dat ze verliefd worden. Stel dat ze de rest van hun leven bij elkaar blijven?

'Ik denk niet dat Thijs een kwijltype is. Kijk, hij heeft z'n jas uitgetrokken. Moet je die armen zien! Hij is zo lekker gespierd.'

Voorzichtig kijkt Fee naar Thijs. Er hangen drie meisjes uit 2B om hem heen. Wat is er met hem gebeurd? Hij is veranderd in een Brad Pitt. 'En je gaat na school met Samira langs de dokter omdat je knettergek geworden bent.'

'Ja doei, ik voel me juist supergoed.'

'Heb je Labello?' vraagt Fee.

'Toevallig heb ik gisteren een nieuwe gekocht. Roze met aardbeiensmaak. Denk je dat Thijs dat lekker vindt? Moet je ruiken hoe zoet.' Laura tuit haar lippen en buigt zich voorover naar Fee.

'Lau, we zouden vanmiddag toch bij mij een appeltaart gaan bakken?' Samira trekt zeurderig aan Laura's jas.

'O ja, dat is waar ook. Is ook eigenlijk geen haast bij, morgen kan ik ook met hem zoenen.'

Opgelucht haalt Fee adem.

'Kom, we gaan alvast naar het lokaal. 3A zit naast ons deze les. Leukejongensalarm!' Laura springt op en trekt aan Fees jas.

'Ik kom zo.' Fee voelt hoe ze in elkaar zakt.

Fee knoopt haar jas open en laat de wind langs haar gloeiende hals blazen. Waarom wil uitgerekend haar beste vriendin met Thijs zoenen? Laura is natuurlijk helemaal niet verliefd. Ze vindt hem alleen maar interessant. En Laura is elke dag verliefd op iemand anders, morgen is het vast weer over. Maar wat als ze wel verliefd op hem wordt? En wat als Thijs haar ook leuk vindt? Laura is zo ontzettend knap, zo'n meisje waar alle jongens verliefd op worden. En ze weet ook precies hoe ze tegen jongens moet doen. Moet ze Laura vertellen dat ze al jaren verliefd op Thijs is? Haar handen trillen. Dan voelt ze een hand op haar schouder, het is Thijs.

'Hoihi Thijs,' hoort Fee haar eigen stem trillen.

Thijs port met z'n vinger in haar zij en gaat naast haar op de bank zitten. 'Heb je een leuk weekend gehad?'

Snel legt Fee haar handen over haar knieën. 'Ja, fantastisch. Heel leuk. Allemaal dingen en zo. Vandaag is het ook al weer zo'n ontzettend leuke dag. En jij bent ook allemaal leuke, spannende dingen aan het doen, heb ik begrepen?'

'Ik ben de hele zondag bij m'n oma geweest en zaterdag heb ik wax voor m'n surfplank gekocht. Niet superspannend of zo.' Thijs strekt z'n benen en vouwt z'n gympen over elkaar.

Fee wijst naar z'n gympen. 'En je hebt nieuwe All Stars geshopt?'

'O ja, die heeft m'n moeder meegenomen.'

Waarom heeft Thijs uitgerekend met Lana gezoend? Fee pakt het flesje water van haar schoot en mikt het met een harde knal de prullenbak in. 'Trouwens, je hebt mijn woordenboek al drie dagen en nu kan ik geen woorden vertalen.'

'Ligt nog op m'n bureau. Ik neem het morgen voor je mee.'

Fee vouwt haar armen over elkaar. 'Had je daar vandaag niet even aan kunnen denken? Ik vind het superirritant als iemand mijn spullen niet teruggeeft.'

'Ik heb het pas drie dagen,' zegt Thijs verbaasd.

'Het is gewoon ontzettend onhandig dat ik m'n woordenboek niet heb. Stel dat ik nu iets wil vertalen, dan kan dat dus niet.'

'Anders fiets ik vanmiddag even bij je langs?' vraagt Thijs, terwijl hij aan z'n haar frummelt.

Even aarzelt Fee. Zal ze vanmiddag met Thijs afspreken? Ja dag, denkt ze dan. Wat heeft het voor zin om met hem af te spreken als hij met Lana en negen andere meisjes gezoend heeft? 'Ik leen die van m'n broer wel. Onze les begint zo.' Ze springt op en trekt met een ruk haar rugzak van de grond.

Verrassingen

Fee gooit haar rugzak op tafel en pakt een appel uit de fruitmand. Ze wrijft hem met haar mouw schoon en neemt een grote hap. Wat een rotdag. Wist je maar van tevoren dat een dag een rotdag werd, dan kon je in je bed blijven liggen. Ze hoort haar moeder de trap af rennen.

'Mam, je rinkelt,' lacht Fee.

'Ik heb belletjes onder aan mijn rok genaaid, leuk hè? Hoe was je dag?' vraagt haar moeder, terwijl ze de waterkoker aanzet.

'Niks bijzonders, we hadden een proefwerk voor aardrijkskunde.'

'Is het een beetje gelukt?'

'Ging wel.' Fee ploft neer op een stoel en kauwt op haar appel.

'Er is post voor je van het modellenbureau.' Haar moeder pakt een grote envelop van tafel. 'Maak gauw open, ik denk dat je setcard erin zit.'

Snel graait Fee de envelop van tafel en scheurt hem open. Er zit een dikke stapel kaarten in. Op de voorkant staat een foto van Fee in een wit hemdje. Haar haren zitten in een strak knotje naar achter. Haar tanden zijn spierwit en haar huid is zo glad dat ze net van porselein lijkt. Onder de foto staat in grote letters FEE.

'Wow!' roept haar moeder. 'Draai eens om.'

Op de achterkant van de kaart staan vier verschillende foto's. Fee kijkt naar de foto waarop ze een zilveren glitterjurkje aanheeft. Ze heeft borsten! Met open mond staart ze naar de foto.

'Fee, wat ben je mooi! Die foto met dat jurkje is leuk, zeg. En met die hoed op, je kan zo op de cover van *GLAMOUR*!'

'Niet normaal, ik lijk wel zestien.'

'Nou, ik zou je telefoon maar in de gaten houden de komende weken.'

'Denk je dat echt?' stamelt Fee.

'We zien het wel. Het is toch al erg grappig om zulke mooie foto's van jezelf te hebben. En wie weet krijg je nog eens een leuke opdracht. Mag ik er eentje hebben?'

Fee trekt een kaart uit de stapel en geeft hem aan haar moeder.

'Hé, kijk nou, er fietst iemand de tuin in.' Haar moeder loopt naar het raam.

Fee kijkt op en ziet Thijs de voortuin in fietsen. Vliegensvlug glijdt ze van haar stoel en kruipt onder de tafel. 'Ik ben niet thuis.'

'Wat is dit voor onzin?' vraagt haar moeder lachend.

'Ik ben boodschappen doen of naar Laura. Of ik ben konijnenvoer kopen, verzin maar wat.'

Fee hoort het schelle geluid van de deurbel. Dan hoort ze een harde bons op de deur. 'Hij komt mijn woordenboek brengen. Ik doe niet open,' piept ze terwijl ze een fleecedeken van de tafel trekt.

'Nou, vooruit. Ik zal je even redden.' Rinkelend loopt haar moeder de gang in.

Verstijfd staart Fee naar de benen van haar moeder. 'Is-ie al weg?' vraagt ze, terwijl ze de hakken op het parket hoort tikken.

'Blijf nog maar even zitten, hij loopt de tuin in.'

Vlug stopt Fee haar hoofd terug onder de tafel.

Ze hoort haar moeder naar het raam lopen. 'Hij stapt nu op z'n fiets en zwaait.'

Fee ziet haar moeder met een overdreven glimlach naar Thijs zwaaien. Nou ja!

'Kom maar, hij fietst de hoek om.'

Opgelucht kruipt Fee onder de tafel vandaan. 'Wat zei hij?'

'Dat je je woordenboek nodig had. En hij vroeg of je thuis was. En of ik je de groetjes wilde doen. Wat een leuke jongen is dat, zeg, je zat toch ook bij hem op de basisschool? Is me nooit opgevallen dat hij zo knap is. En zo charmant ook. Ik zou het wel weten als ik jou was.'

Het is niet normaal dat mijn moeder met jongens van dertien jaar flirt, denkt Fee. Vorige maand heeft ze drie kwartier met de glazenwasser van vijfentwintig koffiegedronken. Drie kwartier!

'Waarom wilde je hem eigenlijk niet zien?' vraagt haar moeder.

'Hij praat veel te veel over van alles. Voor je het weet, zit je er uren aan vast. En ik moet ook huiswerk maken,' zegt Fee onverschillig.

'Ik vond hem juist een beetje verlegen.'

'Nou, dat is hij helemaal niet, hoor.' Verlegen jongens zoenen niet met negen meisjes.

'Wanneer is hij jarig?' vraagt haar moeder.

'Ooo, ik weet niet. Ergens in juni.' Elf juni, denkt Fee. Maar ze gaat haar moeder niet vertellen dat ze precies de dag van zijn verjaardag weet.

'Een Tweeling. Tweelingen hebben twee gezichten, wist je dat? Praatjesmaker en verlegen, dat klopt dan wel.' Haar moeder trekt een boek over sterrenbeelden uit de kast.

Fee kijkt op. 'Wat weet je nog meer over Tweelingen?'

Haar moeder bladert door het boek. 'Hier, ze zijn vrolijk en vlinderig. Onweerstaanbaar ook. En ze houden van verrassingen.'

'Verrassingen?' vraagt Fee, terwijl ze zo nonchalant mogelijk met een pluk van haar staart tussen haar vingers speelt.

'"Tweelingen zijn snel verveeld en vinden dingen saai. Om de aandacht van een Tweeling vast te houden, moet je hem telkens weer verrassen,"' leest haar moeder voor. 'Wacht, je bent wél verliefd op hem!'

'Nee, helemaal niet! Tsss, ik ken hem al honderd jaar, weet je nog?' Snel neemt ze nog een hap van haar appel.

'Wat maakt dat nou uit? Je kunt hem toch opeens met hele andere ogen bekijken? Ik kende je vader ook al twee jaar. En opeens was het, PATS-BOEM, wat een lekker ding. Ik had spontaan de behoefte om hem de hele dag te zoenen en uit te kleden.'

'Mam, stoppen!' Fee legt haar handen over haar oren.

'Dat is heel normaal, hoor. Hoe denk je anders dat jullie gemaakt zijn?'

'De ooievaar, een bloemkool of voor mijn part een postduif!'

'Je vader was vroeger ontzettend sexy. En nog steeds. Vooral als hij met een handdoekje om de douche uit komt. Van die waterdruppels op z'n buik. Grrrr...' gromt haar moeder, terwijl ze van haar handen twee tijgerklauwen maakt.

'Ik wil een normale moeder!' piept Fee. 'Een moeder zoals Samira heeft. Ik weet heel zeker dat Sam wel door de ooievaar gebracht is.'

'Omdat ze een hoofddoek draagt?' lacht haar moeder.

'Het mag ook vast niet van haar geloof.'

'Ik weet zeker dat Sams moeder onder haar hoofddoek een bos verleidelijke krullen heeft. En ze heeft altijd een twinkel in haar ogen. Wedden dat ze het vaker doen dan je vader en ik?'

Fee springt op van tafel. 'Getverderrie, dat wil ik helemaal niet weten. Ik ben je dochter!' Snel pakt ze het sterrenbeeldenboek van tafel en vlucht naar haar kamer.

Fee klemt haar setcard onder het randje van haar spiegel en zet de radio aan. Aandachtig bestudeert ze haar bleke gezicht. Ze kan nog niet helemaal geloven dat ze model is. Modellen zijn toch altijd van die bloedmooie meisjes? Zou Doutzen Kroes er zonder make-up ook zo doodgewoon uitzien? Ongelooflijk wat ze van zo'n saai gezicht kunnen maken. Ze grabbelt een eyeliner uit haar make-uptasje en trekt een dikke zwarte lijn boven haar ogen. Hoe doen ze dat? Met de toppen van haar vingers wrijft ze door haar haren. Nog niks bijzonders. Ze zet de deur van haar kast open en bekijkt haar lange lichaam in de spiegel. Waarom is ze niet tien centimeter kleiner? Misschien moet ze een dag in een warm bad met waspoeder gaan liggen zodat haar benen krimpen.

Dan valt haar oog op de klassenfoto van groep acht. Thijs zit naast haar op de eerste rij. Zijn haren zijn kort en zijn ogen stralen. Was het nog maar vorig jaar, toen was niemand verliefd op Thijs. Nu ziet zelfs haar moeder hoe leuk hij is! Ze staart weer naar haar spiegelbeeld. Hoe lang zou Thijs zijn? Ze houdt haar hand voor haar kin, buigt haar hoofd naar voren en drukt haar lippen tegen haar handpalm. Terwijl ze haar hoofd beweegt alsof ze zoent, kijkt ze in de spiegel. Zie je wel, geen gezicht. Dan steekt ze haar kin de lucht in. Dat ziet er beter uit. Verdomme, ze is veel te lang voor Thijs.

Terwijl ze haar laarzen uitschopt en haar ballerina's zoekt, denkt ze aan wat haar moeder beneden heeft gezegd. Tweelingen houden van verrassingen. Ze pakt het boek en bladert naar het sterrenbeeld Tweeling.

STERRENBEELD TWEELING

Gemini (21 mei t/m 20 juni)

Eigenschappen van de Tweeling:

Vlinderig
Energiek
Snel verveeld
Veelzijdig
Nieuwsgierig
Opgewekt

De Tweeling is slim, snel en leergierig. Tweelingmannen zijn snel. Wie hen bij wil houden, moet oplettend zijn. Het is een kwelling voor de Tweeling als hij zich opgesloten voelt: deze mannen moeten vrij zijn! Ze zijn telkens weer op zoek naar nieuwe uitdagingen. De Tweeling is een fijne vriend. Hij is immers altijd vrolijk, vol energie en boordevol ideeën. Maar wie denkt dat de Tweeling louter luchthartig is, komt bedrogen uit: de Tweeling heeft twee gezichten.

De Tweeling & de liefde

Tweelingen zijn moeilijk te vangen. Dit sterrenbeeld fladdert als een zomerse vlinder van struik naar struik. Als de Tweeling een mooie plant gevonden heeft, kijkt hij stiekem al uit naar een nieuw stekkie. De Tweeling kan volstrekt niet tegen een vriendin die jaloers of bezitterig is. Dit betekent niet dat de Tweeling zich nooit bindt. Ook de Tweeling is op zoek naar duurzame liefde! Maar de rusteloze Tweeling moet hierbij een handje geholpen worden. Om de aandacht van de doorgaans onweerstaanbare Tweeling vast te houden, moet je hem telkens weer verrassen. De Tweeling is snel verveeld; wie de aandacht van dit sterrenbeeld wil vasthouden, moet vindingrijk zijn. Deins niet terug wanneer de Tweeling vluchtig en oppervlakkig reageert, dit sterrenbeeld heeft grote moeite met het tonen van diepe emoties. Aan jou de taak om zijn diepste gevoelens los te maken!

Fee tuurt naar de woorden in het boek. Vlinderig, vrolijk, rusteloos. Ze moet iets bedenken. Iets wat zijn diepste gevoelens kan losmaken! Maar hoe doe je dat? Op haar ballerina's dribbelt Fee op en neer door haar kamer. Ze moet hem dus telkens weer verrassen. Maar waarmee? Haar oog valt op de kaartjes van Laura en Samira op haar bureau. Zal ze hem een kaart sturen? Nee, dat is veel te eng. Misschien een mysterieuze kaart zonder afzender? Kan ze eerst kijken hoe hij reageert. Opgewonden bladert ze door een stapel tijdschriften. Dan ziet ze op een pagina een lief konijn met een roze strik om. Het is net Siem! Ze pakt een schaar, knipt voorzichtig het konijn uit en plakt hem op de kaart. Met een roze vilstift tekent ze er hartjes bij. Met een dikke stift oefent ze verschillende handschriften.

LOVE LOVE LOVE LOVE LOVE LOVE LOVE
Lieve Thÿs!
Er is iemand die
jou heel erg leuk vindt...
maar dat niet tegen
je durft te zeggen..
wil je weten wie?
kÿk vanmiddag om
13.30 onder de plantenbak
voor het roosterbord in
de hal! Liefs LuLu
Lapin X
x x x
x x x x x x x x
post-
zegel
hihi
I ♥ Toi
C 0719
Printed in Holland
© Martin Kers 1982 / Waar is klaver vier? / Reproduction prohibited

Fee probeert naar meneer Kenter te luisteren, maar alles wat hij zegt vliegt direct haar hoofd weer uit. Ze legt naar handen tegen haar buik en neemt een grote hap lucht om haar zenuwen weg te drukken. Vlak voor de les heeft ze de kaart in Thijs' groene rugzak gestopt. Voorzichtig kijkt ze naar Thijs. Zou hij haar kaart gevonden hebben? Misschien is ie wel onder in zijn rugzak gevallen en komt hij de kaart pas rond Pasen tegen. Dan ziet ze een puntje van haar kaart uit zijn broekzak steken. Ze versteent.

'Fee, ik weet dat Thijs woest aantrekkelijk is, maar mag ik ook een beetje aandacht?' Meneer Kenter klapt in z'n handen.

Fee voelt dat ze knalrood wordt.

Meneer Kenter schraapt zijn keel. 'Vandaag gaan jullie in groepen van twee aan de opdracht werken. Ik deel de groepen in. Als je je naam hoort, loop je rustig naar de gang zonder de andere lessen te verstoren en zoek je een plek in het gebouw om de opdracht te maken. Ik verwacht iedereen stipt om 14.00 uur terug in het lokaal. Samira en Susanne. Ilayda en Niels. Joey en Huib. Kubra en Zerrin. Fee en Thijs, wat een toeval.'

Fee schrikt op. Hoorde ze daar Fee en Thijs? Vast niet, ze krijgt natuurlijk waanideeën door dit gedoe. Ze je wel, ze is helemaal niet geschikt voor liefdesacties. Zenuwachtig frummelt ze aan de rits van haar etui.

'Fee en Thijs?' roept meneer Kenter.

Verward kijkt Fee op. 'Ik ben Fee.'

'Ja dame, pak je spullen maar en zoek met Thijs een plek om te werken. Veel succes.'

Fee grabbelt haar spullen van tafel en propt alles in haar tas.

Hoe is het mogelijk? Ze heeft nog nooit samen met Thijs moeten werken. En uitgerekend op de dag dat ze voor het eerst in haar leven een liefdesplan bedacht heeft, moet ze met hem een opdracht maken. Verlegen lacht ze naar Thijs en samen met hem loopt ze het lokaal uit.

'Goede plek?' vraagt Thijs terwijl hij op een muurtje voor de school klimt. Hij steekt z'n hand uit en pakt Fees spullen aan. 'Spring maar.'

Verbluft klimt Fee naast Thijs op de muur. 'Goede plek voor wiskundesommen.'

Thijs vouwt z'n schrift open en legt de opdracht op Fees schoot. 'Laten we snel de sommen maken, dan kunnen we daarna nog even wat drinken. Ik ben goed in kansberekenen, heb ik zo gedaan. Heb jij je rekenmachine? Fee?'

'O ja, rekenmachine.' Terwijl Fee haar rekenmachine uit haar tas pakt, kijkt ze snel op haar telefoon. Nog twintig minuten. Hoe kan ze nou onopvallend naar de plantenbak lopen terwijl Thijs naast haar zit?

'Gaat het met je?' vraagt Thijs.

'Ik heb het toch een beetje koud eigenlijk. Ik ga m'n jas even halen.'

Fee rent de hal in en trekt de tweede kaart uit haar broekzak. Ze pakt haar viltstift en loopt naar de balie van de conciërge. Terwijl ze de dop van de stift trekt, ziet ze Roy uit de derde aankomen.

'Hé Fee, wat hoor ik nou? Je bent fotomodel!' roept Roy.

'Nou, niks bijzonders, hoor. Ik sta pas een maand ingeschreven.' Snel frommelt Fee de kaart terug in haar broekzak.

Roy loopt op haar af en legt z'n arm op de balie. 'Wat superstoer van je. Heb je zelf gebeld of ben je ergens op straat ontdekt?'

'Was van de zomer op een parkeerplaats in Friesland. Sloeg

nergens op, want ik was net een bakje friet aan het eten en mijn haar was helemaal vies en zanderig.' Fee kijkt op de klok boven het roosterbord. Het is al kwart over één. Ze moet opschieten. 'Moet je niet naar je les of zo?'

'Die les kan wel even wachten voor een mooie dame, hoor,' zegt Roy en hij bekijkt Fee van top tot teen.

'Kijk maar uit, dadelijk moet je nog bij de rector komen.'

'Hoe ging dat dan? Stapte er zomaar iemand op je af?' vraagt Roy onverstoorbaar.

Zenuwachtig wiebelt Fee met haar schouders. 'Het was een vrouw van het bureau, een scout noemen ze dat. Die was een paar dagen in Friesland om nieuwe meisjes te zoeken.'

'Stoer. Heb je al een opdracht gehad?' Roy laat z'n tas op de grond zakken.

'Alleen foto's voor mijn setcard. Ik moet gaan, ik moet naar de wc.' Fee kruist haar benen over elkaar alsof ze ontzettend nodig moet plassen.

'Daar sta je vast prachtig op, ben benieuwd. En nu belt het bureau je zeker de hele dag voor opdrachten?' vraagt Roy met een gladde knipoog.

'Toevallig heb ik zaterdag een shoot voor het boekje van de Bijenkorf. Stelt niks voor, hoor. Misschien sturen ze me alsnog weg, want ik heb nog helemaal geen ervaring.'

'Iemand met zulke mooie benen sturen ze echt niet weg.'

Slijmbal, denkt Fee. 'Ik moet echt gaan. Ging even snel op het roosterbord kijken of Engels uitvalt.'

'Zal ik je bijles geven? Kom je een keertje bij me langs, kunnen we daarna een film kijken en een beetje chillen op m'n kamer?'

'Ja, een film, chill. Ik heb het alleen ontzettend druk met van alles. Volgende week veel huiswerk en SO voor biologie.' Waarom gaat hij niet weg? Nog maar drie minuten om de kaart onder de bak te stoppen, denkt Fee terwijl ze naar de klok staart.

'Ik heb onwijs veel dvd's,' zegt Roy.

'Ik moet gaan. Doei!' Fee doet net alsof ze de hal in loopt. Over haar schouder kijkt ze of Roy al weg is. Hij kijkt ook om en glimlacht. Wegwezen met die gast, ze moet de kaart snel onder de plantenbak leggen. Als ze de hoek om is, pakt ze haar kaart. Met een viltstift krabbelt ze er een boodschap op.

Love mail Love mail Love mail Love

© VISUAL FACTS 020 5286840

SMS 10

Hoi lieve Thijsss!
Je hebt mijn kaart
gevonden! hihi
Ben je al benieuwd
wie ik ben?
Dan heb je pech,
want ik durf het nog
niet te zeggen...
morgen misschien?
koesjah → Lulu Lapin x

Smak!

L'amour
Luff
Love

I LOVE YOU

BIRI PUBLICATIONS B.V. Oude Zijds Kolk 7 Amsterdam 020 - 622 67 72
www.biri.nl

Voorzichtig kijkt ze of Roy al weg is. Ze hupt vlug naar de plantenbak, schuift de kaart onopvallend onder de zwarte bak en rent terug naar buiten.

Zo nonchalant mogelijk wandelt ze terug naar Thijs.

'Je jas. Waar is je jas?' lacht Thijs.

Fee staart naar haar T-shirt. Shit, helemaal vergeten. 'Klaslokaal was op slot,' zegt ze terwijl ze weer op de muur klimt.

'Hier, neem mijn trui maar.' Thijs trekt z'n donkergroene capuchontrui uit en geeft hem aan haar.

Als Fee haar hoofd door het gat steekt, ruikt ze aan zijn sweater. Hij ruikt naar jongens: een beetje zout alsof hij net van het

SCHOOL PARTY
SCHOOL PARTY
EASTPAK

strand komt. Ze duwt haar neus dichter tegen de stof en kijkt naar Thijs. Haar buik bubbelt als een idioot. Tjonge, wat zou ze hem graag willen zoenen nu. 'Zes keer twee keer drie is zesendertig, toch?'

'Antwoord bij c is dan veertig procent.'

Fee staart naar Thijs. Hij is zelfs leuk als hij wiskundesommen voorleest. Als hij 'procent' zegt, is het net of hij een kusje geeft. 'Hoeveel?' vraagt ze alsof ze hem niet verstaan heeft.

'Veertig procent.'

Zie je wel, net een kusje, denkt Fee.

'Hoe gaat het met dat modellenwerk?'

'Nou, nog niks bijzonders, hoor. Ik heb testfoto's gemaakt voor mijn portfolio. En ik heb mijn eerste casting, maar misschien wil niemand me hebben.'

'Ik vind het eigenlijk niks voor jou.'

'Hoezo niet?' Hij vindt me vast te lelijk, denkt Fee.

'Nou, ik vind je gewoon... Nou ja, ik bedoel... Modellen moeten toch allemaal rare dingen doen zoals hun haren afknippen en op een ijsberg staan in hun bikini?'

'Ik kan toch nee zeggen?'

Thijs knijpt zachtjes in Fees been en glimlacht. 'Nog maar twee vragen. Ik ga even koffie halen. Zal ik thee voor jou meenemen? Of wil je een blikje?'

Het is halftwee. Hij gaat vast naar de plantenbak voor de kaart. Aandachtig staart Fee naar de sommen in het schrift. Als ze Thijs nu aankijkt, wordt ze paars. 'Koffie graag, of thee, nee, doe toch maar een blikje. Sinas of zo,' hakkelt ze.

Glimlachend loopt Thijs even later het schoolplein weer op.

'Was het druk bij de automaat?' vraagt Fee, terwijl ze van z'n gezicht probeert af te lezen of hij haar kaart gevonden heeft.

Thijs geeft Fee een koud blikje sinas. 'Nee hoor, helemaal niet. Jee, wat een lekker weer is het vandaag. Het lijkt wel lente.' Met een grote grijns klimt hij op de muur.

'Waarom moet je lachen?' vist Fee.

'Gewoon, ik heb een zomergevoel. En het is oktober. Dat is toch grappig?' lacht Thijs.

'Misschien moet je morgen een korte broek aantrekken?'

'Trek jij dan je bikini aan?' vraagt Thijs.

Tjongejonge, wat lacht hij lief, denkt Fee. Zou hij doorhebben dat de kaart van haar is? 'Is er soms iets gebeurd binnen?'

'Ja, zoiets,' zegt Thijs geheimzinnig.

'Wat voor iets?' vraagt Fee terwijl ze haar best doet om niet te nieuwsgierig te kijken.

'Iets grappigs. Iets liefs. Iets verrassends ook.'

Zie je, het boek heeft gelijk. Thijs houdt van verrassingen. Fee glimlacht, het is gelukt!

Thijs legt een arm om Fees schouder en kijkt haar vragend aan. 'Lapin, dat betekent toch konijn in het Frans?'

'Hmmm, misschien wel. Maar het zou ook muis of wortel kunnen zijn. Of aardappel,' zegt Fee. Wat heeft hij mooie lippen! Snel klemt ze haar handen onder haar benen zodat Thijs niet ziet dat ze trillen.

'Jij hebt toch een konijn?' vraagt Thijs.

Fee voelt haar hart tot in haar tenen dreunen. 'O ja, wij hebben inderdaad een konijn. Maar ook een kat, hoor. En er zijn zo veel mensen met huisdieren.'

Thijs schuift z'n schrift op Fees schoot en duwt een pen in haar handen. 'Weet jij hoe je "lapin" schrijft?'

'Wat is dat nou weer voor een rare vraag?' lacht Fee zenuwachtig.

'Gewoon, schrijf eens op.'

Met een bibberende hand schrijft Fee in haar eigen handschrift 'lapin' op het papier. Dan ziet ze Roy naar buiten lopen. Ze buigt zich over het schrift alsof ze hem niet opmerkt.

'Hé Fee!' roept Roy, terwijl hij naar haar toe rent.

'Moet je niet naar je les?' vraagt Fee verbaasd.

'Ik ga even wat te eten halen. Heb door jou de halve les toch al gemist. Niet dat je me hoort klagen, hoor,' zegt Roy met een vette knipoog.

Ongemakkelijk kijkt Fee naar Thijs.

'Ik dacht, misschien heb je vanmiddag tijd? Wat is je nummer? Kan ik je even bellen.' Roy pakt z'n telefoon.

'Dat weet ik niet,' liegt Fee.

'Je weet je eigen nummer niet?'

'Nee, ik bel mezelf nooit, weet je wel.' Zenuwachtig tikt Fee met haar nagels tegen de muur.

'Bel me dan nu even.'

'Ik heb je nummer niet.'

'Wacht.' Roy pakt Fees telefoon en tikt een nummer in. Meteen gaat Roys telefoon. 'Zo, die heb ik. Spreek je snel, schatje.'

Verbluft staart Fee naar Roy.

'Lekker bijdehand die gast,' zegt Thijs.

'Ja, hij zit al in de derde, dat zal het zijn,' stamelt Fee.

Dan piept haar telefoon.

Heb ik al gezegd dat je prachtig bent? KUS

'Dat was een berichtje van Roy,' mompelt Fee terwijl ze haar telefoon in haar tas gooit.

'Hij maakt er wel werk van. Wat zegt ie?' vraagt Thijs achteloos.

'Niks bijzonders, iets over huiswerk of zo.'

Thijs pakt het schrift en gooit het in zijn tas. Hij knalt hem op de grond en springt van de muur. Dan steekt hij zijn hand uit naar Fee. 'Kom je mee, het is bijna twee uur.'

'We hebben nog tien minuten,' stamelt Fee.

'Ik heb geen zin om te laat te komen.'

Fee pakt Thijs zijn hand en springt op de grond. Samen rennen ze over het schoolplein naar de deur.

Hamam

Fee zet haar fiets tegen een lantarenpaal en trekt haar slot los. Vandaag gaat ze samen met Samira en Laura naar het Turkse badhuis van Samira's ouders. Terwijl ze de laatste hap van haar ontbijtkoek naar binnen propt, kijkt ze naar de knalblauwe deur van de hamam. VOLKSBADHUIS INGANG VROUWEN, staat erboven geschreven. De deur vliegt open.

'Fee is er ook!' Laura zwaait haar armen om Fee heen en geeft haar een knuffel, terwijl Samira haar om de hals vliegt. Over Laura's schouder bekijkt Fee de kleine hal. De muren zijn blauw en goud geverfd en aan het plafond hangen gouden lampen met gekleurd glas. Op de vloer ligt een dik Perzisch tapijt en de houten bankjes zijn bedolven onder de felgekleurde kussens met gouden motiefjes.

Samira's moeder glimlacht naar Fee. 'We hebben net een verbouwing achter de rug. Hoe vind je het geworden?'

'Wat is het hier gezellig,' stamelt Fee.

'Leuk dat jullie er zijn! Klaar voor de sauna?' vraagt Samira's moeder.

Fee staart naar de glanzende haren van Samira's moeder. Haar donkerbruine haren hangen losjes over haar schouders. Het is haar nooit opgevallen dat ze zo mooi is. Zo lijkt ze net Shakira of Jennifer Lopez.

Samira's moeder legt drie zwarte washandjes op de balie. 'Deze zijn voor jullie scrubbeurt, het vuil vliegt dadelijk van je rug af!'

'Ik heb al gedoucht, hoor,' lacht Laura.

'Je schoenen kunnen in dit rek,' zegt Samira, terwijl ze haar laarzen uitschopt.

Fee trekt de roze veters van haar All Stars los en sjort haar gympen uit.

Samira's moeder geeft Laura een stapel dikke handdoeken. 'Gaan jullie maar lekker de sauna in! Ik zie jullie straks weer, dan gaan we broodjes eten.'

'Fee, je bovenstukje moet ook uit!' roept Laura terwijl ze aan het touwtje van Fees bikini trekt.

Verschrikt slaat Fee haar handen voor haar borsten. 'Wat?'

Laura dartelt in haar knalrode bikinibroekje door de kleedruimte. 'Heb je de borsten van die vrouw daarnet gezien? Ik hoop zo niet dat ik later van die hangers krijg.'

Samira legt haar borsten in haar handen. 'Dat kan toch niet? Hoe kunnen deze borsten nou later tot aan je navel komen?'

'Wat voor dingen heeft jouw moeder?' vraagt Laura.

'Nou, normale?' zegt Samira, terwijl ze haar borsten een stukje optilt.

'Dan krijg jij die ook!' Laura gaat voor de spiegel staan en legt haar handen over haar borsten. 'Ik hoop dat ze later precies in mijn handen passen, dat is cup C.'

'Wat heb je nu voor maat dan?' vraagt Samira.

Laura strekt haar rug. 'Cup A, maar met mijn Calvin Klein-bh met vulling lijken ze net B, beter! Fee, wat heb jij voor maat?'

Die van mij passen helemaal niet in een bh, denkt Fee. 'Cup A?' zegt ze twijfelend.

'Alle modellen hebben kleintjes.' Samira komt achter Fee staan en bestudeert haar lichaam.

'Je moet mijn wonderbra eens proberen.' Laura grist een knalpaarse bh uit haar tas en slingert hem als een propeller boven haar hoofd.

'Ja, daag!' roept Fee terwijl ze ongemakkelijk in haar blootje naar het kluisje loopt.

'Geef mij die bh eens.' Samira trekt de bh uit Laura's handen en houdt hem voor haar borsten. Zwoel strekt ze haar rug en schudt wild met haar haren. Dan draait ze met haar billen en danst over de stenen vloer.

Laura duwt haar borsten omhoog en hupt met haar neus in de lucht achter Samira aan.

Vlug propt Fee haar spullen in de kluis. Ze durft echt niet in haar bikinibroekje achter die twee aan te dansen. 'Sam, wat gaan we precies doen vanmiddag?'

'Bloot over straat dansen!' lacht Laura.

'Eerst gaan we ons helemaal insmeren met een soort bruine zeep. Dan gaan we in de sauna zitten. Daarna worden we gescrubd door mijn tante en dan gaan we ons insmeren met een soort modder, dat is superlekker!'

'En dat moet allemaal bijna bloot?' vraagt Fee.

'Er zijn hier alleen maar vrouwen,' lacht Samira.

'Daar snap ik dus echt geen snars van!' roept Laura. 'Volgende keer gaan we naar een hamam voor jongens.'

'Tuurlijk Lau, kom, we gaan beginnen.' Samira pakt Laura's hand en trekt haar de kleedruimte uit.

Fee wrijft met haar handen over haar gladde buik, ze is net een dolfijn. 'Sam, waarom mogen hier eigenlijk geen mannen komen?'

'Nou gewoon, dit is alleen voor vrouwen.'

'Omdat jullie moslim zijn?' vraagt Laura.

Samira haalt haar schouders op. 'Ik denk het.'

'Het is maar goed dat mijn moeder geen moslim is, want die sjanst alleen maar met andere mannen. Volgens mij is ze nu weer verliefd op een glazenwasser!' Fee pakt een lik modder uit een plastic bakje en smeert haar voeten in.

'De glazenwasser?' Samira's mond valt open.

'Glazenwassers hebben hele gespierde armen,' zegt Laura verlekkerd.

'Deze is vijfentwintig! Dat is zeventien jaar jonger! Toen mijn moeder dertien was, was hij niet eens geboren.'

Laura smeert de modder op haar knieën. 'Mijn moeder had beter mijn vader kunnen dwingen om een hoofddoek te dragen. Of een zak over z'n kop. Dan was hij misschien van z'n secretaresse afgebleven. Of zij in ieder geval van hem.'

Fee speelt met een klodder modder op haar buik. Arme Laura, ze weet niet zo goed wat ze tegen haar moet zeggen. Ze smeert de smurrie uit en tekent er met haar vinger een hartje in.

'Ze is negenentwintig! En ze kijkt *Gossip Girl*!' zegt Laura.

'Is ze aardig?' vraagt Fee voorzichtig.

'Ze doet heel irritant tegen mij. Zo van: "Lau, wat een vet hip T-shirt heb je, zullen we een keer samen vet hip shoppen bij de vet hippe Mango?" Dom kind. Alsof ik met haar door de stad ga lopen. Ik schaam me dood. Dan denkt iedereen dat ze m'n moeder is. Of m'n zus, nog erger.'

Samira pakt een klodder modder en smeert die zachtjes uit over Laura's rug.

'Mijn vader heeft opeens allemaal nieuwe kleren. Hij heeft een G-Star-spijkerbroek gekocht en oranje Nikes! Dat ziet er toch niet uit. Vorige week stond hij met míjn pincet grijze haren uit z'n hoofd te trekken! En hij gaat twee keer per week met Chantal mee naar de sportschool.'

'Wel gezond,' zegt Fee.

'Ik vind het helemaal niet gezond.' Laura mikt een hand modder tegen de muur.

Samira kruipt dichter tegen Laura aan. 'Hoe gaat het met je moeder?'

'Die is superdepressief, ze draagt alleen nog maar joggingbroeken. We eten al drie maanden met een bord op schoot voor de televisie.'

'Wat erg,' zegt Fee zachtjes.

'Ik ben blij dat ik elke dag naar school moet, daar kan ik tenminste lachen. En jongens kijken. Hopelijk heb ik snel een vriendje, dan kan ik daar eten.'

Fee kijkt op. 'Je kan toch ook bij mij komen eten?'

'Toch niet elke avond?'

'Tuurlijk wel! Ik zit elke dag met mijn gekke ouders en gestoorde broer aan tafel. Van mij mag je elke dag komen eten, graag!' zegt Fee.

'Ik eet donderdag en vrijdag meestal alleen met mijn zussen, maar je mag altijd komen. Gaan we samen hartige taarten bakken.' Samira slaat een arm om Laura heen. 'En filmpjes kijken.'

Laura glimlacht.

'Misschien moeten we je moeder opvrolijken. Nemen we haar de volgende keer mee naar de sauna en dan gaan we daarna voor haar koken.'

'Daar heb je echt geen zin in, hoor. Ik word al depressief als ik naar mijn moeder kijk.'

'Wat maakt dat nou uit,' zegt Fee.

Samira staat op van de stenen bank en draait de douche open. 'Kom, laten we snel dit spul er afspoelen, ik heb trek.'

Laura en Fee glijden van de bank af en duiken naast Samira onder de ijskoude waterstraal.

Fee ritst haar capuchontrui dicht en schuift haar blote voeten onder haar billen. Ze laat zich zachtjes achterovervallen en ploft met haar hoofd neer in een kussen. 'Jee, wat is het hier relaxed! Het lijkt net vakantie.'

Samira pakt een broodje feta en duwt een hapje in Laura's mond. 'Hoe is het met je zoenboek, Lau?'

'Vijftig lege pagina's,' mompelt Laura. 'Fee, op wie ben jij verliefd?'

'Nou eigenlijk op... niemand in het bijzonder.'

'Jee, wat saai,' zegt Laura kauwend.

'En als je iemand uit de klas zou moeten kiezen?' vraagt Samira.

'Uhh nou, ik weet het niet.' Ongemakkelijk neemt Fee een slok van haar muntthee.

Samira kijkt vol verwachting naar Fee. 'Je moet kiezen!'

'Ik weet het niet, zeg ik toch.'

'Thijs?' vraagt Samira.

Fee kijkt naar Samira. En dan naar Laura. Zal ze het vertellen? Ze snappen het toch niet. 'Nee, doe normaal!'

'En jij, Sam?' vraagt Laura. 'Wanneer ga jij eens zoenen?'

'Ik heb al een keer gezoend,' fluistert Samira.

'Wat!' gilt Laura.

'Ssst,' sist Samira.

'Met wie?' proest Fee.

Fee en Laura nestelen zich dichter tegen Samira aan.

'Musti, de buurjongen van mijn oma. Deze zomervakantie in Alanya.'

Laura kruipt zo dicht tegen Samira aan dat haar lippen bijna aan Samira's wang vastplakken. 'Je moet me alles vertellen.'

Samira kijkt mysterieus. 'Er was al de hele vakantie een soort spanning tussen ons, ik vond hem superleuk. Maar we waren nooit even alleen. De laatste nacht hoorde ik steentjes tegen het raam van mijn slaapkamer. Dat was Musti! Ik ben het raam uit geklommen en we hebben gezoend in de tuin, op een schommel. Het was zo sprookjesachtig...'

Laura kijkt vol bewondering naar Samira. 'Hoe zoende hij?'

'Gewoon, heel romantisch. En heel lief.'

'Heb je nu wat met hem dan?' vraag Fee nieuwsgierig.

'Nee, niet echt. Hij was mijn zomerliefde. Maar ik zie hem volgend jaar natuurlijk weer en we mailen af en toe.'

'Waarom heb je dat niet eerder gezegd?' stamelt Laura.

'Het is geheim, mijn ouders worden gek als ze dit horen.'

Fee legt haar hand tegen haar mond. 'Ik zeg niks,' mompelt ze.

'My lips are sealed,' piept Laura.

'Ik heb nog wat voor jullie.' Samira grabbelt drie kleine pakjes met donkerpaars cadeaupapier uit haar zak en legt ze op het dienblad.

Fee scheurt het papiertje open en pakt een zilveren kettinkje met een blauw steentje van glas uit het papier. Op het steentje fonkelt een oogje.

'Het is een blauw oog, dat beschermt je tegen het kwaad.'

'Wat is "het kwaad"?' vraagt Laura.

Samira doet de ketting bij Laura om. 'Slechte dingen.'

'Bad hairdays en slechte outfits?' vraagt Laura.

'Wie weet,' lacht Samira.

'Of jongens die slecht kunnen zoenen?'

'Voor wie is dit pakje?' Fee wijst naar het derde pakje op het blad.

'Dat was eigenlijk voor mij, maar misschien kun je het aan je moeder geven?' Samira pakt het pakje en geeft het aan Laura.

Laura glimlacht. 'Dankjewel,' fluistert ze.

Fotoshoot

Fee grabbelt haar iPod uit haar rugzak en stopt de oortjes in haar oren. Vandaag heeft ze haar eerste fotoshoot. Ze staart naar de andere meisjes in de wachtruimte. Het is een bizarre vertoning. In de kleine ruimte zitten allemaal bloedmooie meisjes met te lange benen, een bleke huid en een klein neusje. Ze staart naar een model met ongelooflijk volle lippen en opvallende jukbenen. Naast haar stoel glimt een grote Prada-tas en onder aan haar meterslange benen pronken stoere laarsjes met zilveren studs. Zodra mijn eerste geld binnen is, ga ik ook zulke laarzen kopen, denkt Fee. En een mooie tas. Eén meisje ziet er totaal anders uit. Fee herkent haar meteen uit *GLAMOUR*. Het meisje heeft gitzwart haar, een strakke pony en fluorescerend roze gestifte lippen. Haar huid is sprookjesachtig mooi en haar ogen lijken net twee blauwe edelstenen. Op haar schoot liggen een stripboek van Sneeuwwitje en een fotocamera met een enorme lens. Fee staart naar de buttons met walvissen en zeehonden die het meisje op haar jurk heeft gespeld. Even kijkt het model op en glimlacht. Verlegen lacht Fee terug.

Er vliegt een deur open en twee vrouwen duwen een groot rek vol jurkjes, jassen, riemen en tassen door de hal. Fee gluurt naar een knalroze Chanel-tas. Misschien kan ze die zo heel eventjes aaien?

Fee wiebelt op haar stoel. Waarom moeten ze zo lang wachten? Ze zit hier al minstens drie kwartier en er is nog niets gebeurd. Ze pakt haar iPod en scrolt naar haar lievelingsliedje. Het gaat over twee goede vrienden die allebei niet durven te zeggen dat ze verliefd op elkaar zijn. Ze zet het geluid harder en denkt aan Thijs. Niet dat hij dan ook maar een klein beetje verliefd is op haar, maar de tekst beschrijft precies hoe ze zich voelt. Als ze naar dit liedje luistert, lijkt het net of ze even bij hem is. Ze kijkt voorzichtig naar de kaart die ze vanmorgen opgehaald heeft en glimlacht. Gelukkig heeft hij geen idee dat zij het is.

Lulu Lapin!
Dacht even dat ik wist wie je bent, maar je bent volgens mij niet wie ik dacht dat je bent.
Ben wel nieuwsgierig...
Tot de volgende plantenbakpost dan maar.
SPANNEND;)
T

'Fee en Jikke?'

Fee schrikt op als ze haar naam hoort en stopt de kaart snel in haar rugzak. Een vrouw in een strakke spijkerbroek en een zwart jasje gebaart dat ze moeten komen. Het meisje uit *GLAMOUR* staat ook op.

'Hoi, ik ben Fee,' zegt Fee verlegen tegen de vrouw en ze steekt haar hand uit.

Het meisje glimlacht. 'Ik ben dus Jikke.'

De dame slaat de deur achter hen dicht en plukt twee minuscule huidkleurige onderbroekjes van een rek. 'Trek deze maar vast aan.'

Jikke gooit haar tas op een stoel, schopt haar gympen uit en sjort haar jurk over haar hoofd. Razendsnel trekt ze haar hemd uit en knoopt haar zwarte bh los. Verbouwereerd kijkt Fee toe. In een nog sneller tempo haalt ze haar maillot en onderbroek in één beweging naar beneden en hupt in de string. Vol ongeloof staart Fee naar haar bleke, blote billen. 'Hup, opschieten jij!' roept Jikke terwijl ze haar gezicht insmeert met make-upremover. 'Zeker je eerste klus? Wen er maar aan, als model moet je letterlijk met de billen bloot.'

'Het is toch niet naakt?' stamelt Fee.

'Nee, natuurlijk niet. Maar ik loop zo'n beetje de halve week in mijn blote billen rond tijdens shoots. Ik heb met mijn blote billen al op Fifth Avenue, op het strand van Kaapstad en op een waterfiets midden in Amsterdam gestaan. Het hoort er nu eenmaal bij. Maak je niet druk, dat went vanzelf, hoor. Iedereen vindt het doodnormaal.' Met een stapel tissues veegt Jikke de make-up van haar gezicht af.

Voorzichtig knoopt Fee haar spijkerboek open en langzaam duwt ze hem naar beneden. Gelukkig heeft ze een normale onderbroek aan en niet een met verwassen hartjes.

'Die billen van jou zien er prima uit toch, niks om je voor te schamen, hoor,' lacht Jikke.

Dan zwaaien de deuren open en lopen er vier onweerstaanbaar mooie mannen in strakke zwembroeken binnen. Verschrikt trekt Fee haar broek weer omhoog.

Jikke geeft Fee een knipoog. 'Niks van aantrekken, ze zijn toch allemaal homo. Behalve die blonde, maar die heeft al duizenden mooie billen onder werktijd gezien.'

Fee schiet achter een kledingrek en trekt haar kleren uit. Ze frummelt de string uit elkaar en doet een vliegensvlugge wisseltruc.

'Haal je mascara er even af, anders heb je zo een hysterische visagist op je dak.' Jikke geeft Fee een tissue en spuit er een flinke klodder lotion op.

'Dankjewel,' zegt Fee terwijl ze de mascara van haar ogen veegt. Waar is ze beland? Het lijkt wel de alleridiootste aflevering van *Ugly Betty*!

Dan loopt er een dunne man in een knalroze spijkerbroek en opvallende gympen de ruimte binnen. Op z'n T-shirt staat de tekst TE DUUR VOOR JOU. Hij haalt soepeltjes een hand door zijn geblondeerde haarlok en rent theatraal op Jikke af.

'Sweety! Wat ben je mooi! Ik heb zo genoten van je heerlijkheid bij Marc Jacobs. Je was gorgeous in dat gouden jurkje. Vertel me, lieverd, hoe is hij in het echt? Goddelijk aantrekkelijk?' Hij slaat z'n armen om de spiernaakte Jikke heen.

Jikke knuffelt hem terug alsof ze een dik skipak aanheeft.

De man legt zijn handen op haar billen en slaat een oerkreet. 'Schatje, wat een heerlijke billen heb je toch!'

Jikke moet keihard om hem lachen. 'De billen van Paolo zijn beter, geloof me.'

'Je hebt hem toch niet bekeerd, hoop ik? Dan stuur ik onmiddellijk een dure advocaat op je af.'

'Ik heb tien keer geprobeerd om hem te kussen, maar hij wilde me echt niet,' giert Jikke. 'Dit is trouwens Fee, een nieuw meisje. Als jij haar nou even wat trucjes leert, kan ze volgend jaar met me mee naar New York. Heb ik weer iemand voor mijn pannenkoekenfeest. Fee, dit is Dany, de beste visagist on earth! En dat is alvast een tip van mij: zeg tegen elke visagist dat hij de beste is.'

Dany maakt van z'n hand een pistooltje en schiet koeltjes op Jikke. Dan legt hij z'n arm om Fee heen. 'Ga je mee, lieverd? Jikke is zooo 2008.'

Ongemakkelijk vouwt Fee haar armen over haar borsten heen.

'Doe wat aan, anders vat je kou.' Jikke graait een wit overhemd van een kruk en gooit het naar haar toe.

Opgelucht vangt Fee het hemd en ze trekt het snel over haar hoofd.

Twee uur later staat Fee in een fluorescerend roze bikini en met een enorme bos haar in de studio. Felle lampen branden op haar gezicht. Haar ogen voelen zwaar door de nepwimpers en haar zilvergelakte nagels schitteren aan haar vingers. Terwijl Dany haar benen en buik met een dikke kwast poedert, staart ze wiebelend op te hoge hakken naar de knappe mannen in zwembroek.

'Kun je het bovenstukje van je bikini even losmaken? Dan kan ik je borsten ook wat meer kleur geven,' zegt Dany.

De fotograaf knipt met z'n vingers. 'Kun je een stap naar voren doen, Fee?'

Fee knoopt haar bovenstukje los en stapt naar voren. Ze laat de bandjes zakken en klemt met haar handen het bovenstukje stevig tegen haar borsten.

'Ja, prachtig zo, helemaal goed!' roept hij terwijl de camera flitst.

Ik sta bijna bloot op de foto, denkt Fee. Ze voelt haar hart keihard bonken van schrik. 'Niet zo trillen, schat, dit is maar een testfoto,' fluistert Dany terwijl hij met een sponsje de bovenkant van haar borsten bruin kleurt.

De fotograaf loopt naar voren en zet de mannelijke modellen op hun plaats. Hij gebaart Jikke om naast Fee te komen staan en haalt z'n hand door Fees haar.

Fee staart naar Jikkes zilveren badpak. Met haar bol geföhnde zwarte haren lijkt ze net Amy Winehouse.

'Dany, zijn de dames er klaar voor?' vraagt de fotograaf rustig.

Dany steekt de poederkwast achter zijn oor en gaat achter de camera staan. 'Ze zijn absolutely fabulous!'

'Oké, we gaan beginnen. Fee, beetje dromerige blik. Kijk maar naar de poster hierachter. Schouders iets krachtiger en probeer je benen te spannen. Zo is het mooi, perfect!' roept de fotograaf.

Verlegen spant Fee haar bovenbenen aan en gooit haar haren naar achter. Ze tilt haar kin een stukje op en kijkt zoals ze meisjes in *Holland's Next Topmodel* heeft zien doen.

CHANEL
RUE CAMBON
CHANEL
RUE CAMBON

'Fee, kan de strandtas iets naar achter? Ik zie je lange benen nu niet. Ja, zo is het veel beter. Nog iets naar achter. Ja, helemaal goed. Mooi!' De fotograaf steekt z'n duim op en klikt met de camera. 'Jikke, iets meer mond. Top, prachtig zo. Fee, probeer je kaken te ontspannen. Ja, heel mooi zo. Fantastisch!'

Fee voelt dat ze bijna moet glimlachen.

'Paolo, kun jij naast Fee komen staan?' vraagt de fotograaf. 'Kijk alsof je haar wilt. Meer verlangen. Iets subtieler? Ja, die is mooi! Hou vast!'

Fee voelt Paolo's warme arm tegen haar rug maar ze durft niet naar hem om te kijken. Dan voelt ze een zachte por tegen haar zij.

'Je doet het supergoed,' fluistert Paolo.

Na duizenden foto's, zeven outfits en drie nieuwe kapsels staat Fee in een glimmend lichtroze badpak in de studio. Dany werkt haar lippen bij met gloss en de styliste schuift een rij dikke armbanden om haar pols.

'Probeer deze hakken eens,' vraagt de styliste, terwijl ze een paar donkerpaarse Louboutin-muiltjes met open tenen voor Fee op de grond zet.

Fee steekt haar voeten in de schoentjes.

'Helemaal mooi. Deze dame is er klaar voor,' roept de styliste tegen de fotograaf.

Fee zet haar handen in haar zij en steekt een schouder naar voren. Met een subtiele glimlach poseert ze voor de camera.

'Die dromerige look van jou is adembenemend!' roept de fotograaf.

Fee glimt van trots. Wat is dit leuk! Ze voelt zich opeens supermooi en bijzonder. Bijna is ze vergeten dat ze in haar piepkleine badpak tussen twaalf wildvreemde mensen staat.

'Maak je armen lang, Fee, kun je je bovenlichaam iets naar voren duwen? Mond ontspannen? Perfect zo, helemaal goed, helemaal mooi.'

Fee legt een hand in haar nek en duwt haar elleboog naar de camera. Ze laat haar mond een stukje openvallen en kijkt strak in de camera.

De fotograaf draait aan de lens en een lichtflits verlicht de studio. 'Dat was de laatste foto.'

Dany slaakt een oerkreet. 'Party!' Hij rent naar de stereotoren en zet keihard een nummer van ABBA op.

Jikke trekt Fee mee naar het kledingrek en duwt een knalgele zonnebril op haar neus. Dan hangt ze vier tassen aan Fees arm en zet een oranje hoed op haar eigen hoofd. 'We gaan nog even gek doen.' Dansend rent Jikke naar Dany.

Hij zet de muziek nog harder en pakt Jikkes camera.

Jikke legt haar arm om Fee heen en poseert overdreven sexy voor Dany. 'Nog even wat goede kiekjes voor ons plakboek maken,' lacht ze.

Als de fotograaf z'n spullen heeft ingepakt, loopt hij naar Fee toe. 'Mijn complimenten, je doet het fantastisch. Ik heb meisjes het wel eens slechter zien doen op hun eerste dag. Koop een dikke stapel tijdschriften en kijk goed naar de poses en gezichten. Beetje oefenen voor de spiegel, dan kom je er wel. En vanaf vandaag alleen nog maar op hakken lopen, dame! Dankjewel voor je inzet. We komen elkaar vast snel weer eens tegen.' De fotograaf geeft Fee een vriendelijke knipoog en Jikke een dikke zoen. 'Dankjewel, lieve dame. We houden contact!' Hij tilt z'n tas op en loopt de studio uit.

'Fee, we gaan zo nog even een drankje doen aan de overkant. Heb je zin om mee te gaan?' Jikke schopt haar hakken uit en vist ze sierlijk van de vloer.

'Ik wil eigenlijk wel naar huis zo. Er ligt nog een berg huiswerk op me te wachten.' En ik moet nog langs school om een kaart onder de plantenbak te stoppen, denkt Fee.

'Ik blijf ook maar kort. Moet om zes uur op het station zijn voor de Thalys naar Parijs. Vanavond heb ik nog een casting voor Dior.'

'Naar Parijs? Wat superstoer!' roept Fee.

'Klinkt leuker dan het is, hoor. Tripje Parijs is hard werken en weinig slapen. Waarschijnlijk zit ik tot drie uur vannacht te wachten in een ijskoud hok en morgenvroeg ga ik alweer terug naar Amsterdam. Maar als het lukt, zou het geweldig zijn. Is een casting voor een grote campagne. Er komen meestal wel zestig mooie meisjes opdraven. In oktober heb ik tijdens de Fashion Week in Parijs wel in de show voor Dior en Galliano meegelopen, dus wie weet. Kom, we gaan ons snel omkleden.'

Fee grabbelt het overhemd van een stoel en rent op haar blote voeten achter Jikke aan naar de kleedruimte.

In het café staan de mannen al met champagne aan de bar. Fee lacht stilletjes. Als Laura dit ziet, wordt ze knettergek. De ene jongen is nog knapper dan de andere. Ze hebben allemaal de perfecte spijkerbroek, lekker haar en een T-shirt waarin ze prachtig gespierde armen hebben. Misschien moet ze Laura maar een keertje meenemen naar een shoot.

Jikke pakt twee glazen champagne van de bar en geeft er een aan Fee.

Paolo klikt z'n glas tegen dat van Fee aan. 'Cheers, mooie dame!'

Fee neemt een slok van haar champagne. Eigenlijk heeft ze nog nooit alcohol gedronken. De bubbeltjes prikken op haar tong. Van één slokje word je toch niet dronken?

'Dus dit was je eerste klus?' vraagt Paolo.

'Ik sta nog maar een maand ingeschreven.' Snel zet Fee haar glas champagne terug op de bar.

'De fotograaf ziet het wel zitten met jou. En ik vind je ook erg mooi. Je hebt een prachtig elfachtig gezichtje.'

'Dank je wel.' Fee voelt haar wangen al gloeien.

'Kijk maar uit, hoor. Paolo is een ontzettende gladde versierder! Hij houdt zelfs een plaatjesboek bij van modellen die hij gezoend heeft,' lacht Jikke.

'Waar ga jij meestal uit, Fee?' vraagt Paolo terwijl hij Jikke lachend wegduwt.

Het laatste feestje dat ik gehad heb was met het afscheid van groep acht, van zes tot halfnegen in een klaslokaal, denkt Fee. 'Ik doe het rustig aan de laatste tijd.' Als ze maar niet vragen hoe oud ze is.

'Je moet een keertje met ons mee gaan naar de Jimmy Woo!'

'Ja, chill,' zegt Fee. Alsof ze daar überhaupt binnenkomt.

'De laatste vrijdag van de maand hebben we altijd een modellenborrel in Zouk. Is altijd supergezellig. Als je zin hebt, moet je maar eens met ons meekomen,' zegt Jikke.

In een flits ziet Fee door het raam Thijs langsfietsen. Snel rent ze naar buiten en roept zijn naam.

Thijs kijkt verrast op en springt van zijn fiets. 'Fee, wat doe jij nou hier?'

'Had een modellenklus vandaag, we zijn nog even wat aan het drinken daar.' Fee wijst naar het café.

'Meneer Derksen zei dat je griep hebt,' lacht Thijs.

'Ja, was een smoesje van m'n moeder. Ik krijg natuurlijk nooit vrij voor dit soort dingen.'

Opeens loopt Paolo naar buiten. Hij houdt haar jas voor haar open en glimlacht. 'We gaan, schoonheid, kom je mee?'

'Thijs, dit is Paolo, hij is ook model,' zegt Fee terwijl ze haar armen in de mouwen van haar jas steekt.

Paolo steekt z'n hand uit naar Thijs en knikt vriendelijk.

'Thijs zit bij mij op school. Eigenlijk ken ik hem al heel lang.' Thijs is de liefde van m'n leven en zoent met iedereen behalve met mij, denkt Fee.

Paolo slaat een arm om Fee heen. 'Je vriendin is een natuurtalent. Vertel eens, is ze altijd al zo betoverend mooi geweest?' lacht hij.

Ongemakkelijk lacht Thijs terug.

'Doe normaal!' roept Fee.

'Ik ga ook even m'n jas pakken. Had je nog een tas? En ik moet ook je telefoonnummer nog hebben voor onze Jimmy-date!' roept Paolo.

'Een roze rugzak, dankjewel,' zegt Fee verlegen.

'Mooie jongens allemaal. En zo lang ook.' Thijs frummelt aan z'n jas.

Jij bent zo veel mooier. En liever en grappiger ook, denkt Fee. 'Ja, ik kan eindelijk een keertje omhoogkijken als ik praat.'

Thijs strekt z'n rug. 'Het is dus goed gegaan vandaag?'

'Was eerst een beetje onwennig. Ik moest me omkleden tussen allemaal jongens! Maar iedereen is zo ontzettend aardig. Het was echt een superleuke dag. Hoop dat ik snel nog een keer iets mag doen. Hoe was het op school?'

'Prima, je hebt niks gemist. Behalve dat Laura er twee keer uitgestuurd is.'

'Wat heeft ze gedaan?' vraagt Fee nieuwsgierig.

'Fee, je ruikt naar alcohol!' roept Thijs.

Fee moet lachen. 'We gingen net nog even champagne drinken. Heb maar een klein slokje op, hoor, helemaal niet lekker. Champagne prikt in je mond, wist je dat?'

'Je maakt wel coole dingen mee allemaal.' Thijs blaast een pluk haar uit z'n gezicht.

'Het was een beetje een sprookjesdag met allemaal mooie kleren en schoenen. Ze hebben twee uur over mijn make-up gedaan.' Fee staart naar Thijs.

Aan de overkant ziet Fee een meisje van school lopen. Ze steekt haar hand op en zwaait.

Opeens slaat Thijs z'n armen om Fee heen en duwt haar stevig tegen zich aan.

Fee drukt haar neus in z'n sjaal.

Thijs legt z'n wang zachtjes tegen Fees gezicht.

'Shit, dat is Jasmijn, ze is verliefd op mij. Ik word er knettergek van. Je moet even doen alsof je m'n vriendinnetje bent,' fluistert Thijs, terwijl hij een hand door Fees haar haalt.

'Waarom denk je dat?' vraagt Fee.

'Ze zit me de hele dag als een zeekoe aan te staren. Kom eens hier.' Thijs duwt z'n lippen op haar wang vlak naast haar mond.

Fee voelt zich blij en verward tegelijk.

'We doen net alsof we aan het zoenen zijn,' fluistert Thijs.

Terwijl Fee doet alsof ze niet totaal in paniek is, voelt ze haar hele lichaam verstijven. De lippen van Thijs zitten bijna op haar mond! Hoe moet ze ademen? Ze probeert haar bibberende wangen onder controle te krijgen, maar haar lippen gaan nu ook trillen. Paniekerig hapt ze naar lucht.

Plotseling laat Thijs haar los. 'Zo, daar ben ik mooi vanaf, dankjewel.'

Totaal verbijsterd staart Fee naar Thijs. Ze voelt haar wang nog nagloeien van zijn kus.

'Nou... dat was...' stamelt Fee.

Thijs haalt opgelucht adem. 'Dat was precies goed.'

Verbaasd kijkt Fee naar Thijs. Hoe kan hij zo ontspannen doen terwijl ze net bijna gezoend hebben? 'Ik ga maar weer eens.'

'Hoe ben je hier?' vraagt Thijs. 'Je kunt wel achter op m'n fiets springen, dan breng ik je even naar huis.'

Het liefst was ze achterop gesprongen zodat ze de hele weg aan z'n jas kon ruiken. Maar ze moet langs school voor de kaart. 'Ik moet nog even langs het bureau om wat spullen op te halen.'

'Oké, dan zie ik je morgen.' Thijs springt op zijn fiets en rijdt de straat uit. Vlak voordat hij de hoek om gaat, kijkt hij nog één keer om naar Fee en zwaait.

© VISUAL FACTS 020 6286840

BIRI PUBLICATIONS BV Oude Zijds Kolk 7 Amsterdam 020 - ... 72
www.biri.nl

8 713417 031773

Hoiii Thÿs!
Je was heel
erg dichtbÿ vandaag...
Je ruikt zooo lekker!
* zwÿmel *

Al een idee
hoe ik ruik? xxx xxx

kussies Lulu Lapin ẍ
xxx

love bird..

De liefdessteen

Fee zit aan de keukentafel. Ze voelt Siems snorharen in haar nek kriebelen.

'Ik heb iets leuks.' Haar moeder vouwt een theedoek open. 'Ik heb edelstenen met magische krachten gekocht.'

'Heb je ook een steen tegen kriebelende snorharen?' vraagt Fee, terwijl ze Siems oren aait.

'Kijk, vanmiddag op een rommelmarkt gevonden. Volgens die mevrouw zijn de stenen al tweehonderd jaar oud. Ze hebben heel bijzondere krachten. Dit is wel iets voor jou.' Haar moeder schuift een grijze steen met een gouden gloed naar Fee. 'Volgens mij is dit de aardbeikwarts, daar word je vrolijk van. Hij opent je hart en bevordert de romantiek.'

Fee pakt de steen. 'Een liefdessteen? Dat geloof je toch niet?'

Haar moeder pakt haar tas en rommelt door haar spullen. 'Je kunt het toch proberen? Er zat een briefje bij met uitleg over de stenen. Misschien in mijn jaszak?'

Fee trekt haar moeders jas van een stoel en schuift hem over de tafel.

'Weet je wie ik vanmiddag in de supermarkt tegenkwam?' vraagt haar moeder terwijl ze in de zakken voelt. 'Thijs.'

Fee schrikt op.

'Wat een leuke jongen is dat toch! Hij was altijd zo'n klein, schattig baasje maar wat is dat een stuk geworden. Is hij echt niks voor jou?'

'Nee, niks voor mij.'

'Hij komt anders wel eten vanavond.'

WAT? Hoezo komt Thijs? Bij haar thuis?

'Jelle zit met hem in de schoolkrantredactie en jij kent hem ook al jaren, toch? En je broer nodigt zelf nooit eens vrienden uit.'

Vrienden? Sinds wanneer is Thijs een vriend van haar broer? Verstijfd zit Fee op haar stoel.

'Heb je trek in pompoensoep? Of zal ik pannenkoeken bakken?'

Dan ziet Fee haar grijze joggingbroek in het glas van de tuindeur. Haar haren zitten vastgebonden in een toef op haar hoofd en haar beugel weerspiegelt zich in de ruit. Ze duwt haar beugel uit haar mond. 'Had je dat niet even eerder kunnen zeggen? Ik zie er niet uit!'

'Schoonheid zit vanbinnen, schat. Je moet ook niet zo veel televisie kijken. Waarom lees je niet eens een goed boek, dat is toch veel leuker?'

Er bonkt iemand op de deur.

'Dat zal hem zijn. Je vader moet eens naar de deurbel kijken, die is nu al twee maanden stuk.' Haar moeder stapt op van tafel en loopt naar de voordeur.

Verbluft tuurt Fee naar de steen. Zou zo'n liefdessteen echt werken? Ze grabbelt de steen met de gouden glans van tafel en stopt hem in haar broekzak. Ze zwiept de tuindeur open en zet Siem voorzichtig in het gras. 'Ga maar even buiten spelen, ik zet je zo weer in je hok.' Haar konijn hupt door het gras.

Fee legt een pannenkoek op haar bord en tekent er met stroop een hartje op. Ze legt haar kin in haar hand en staart dromerig naar Thijs.

Thijs kijkt naar het hartje en glimlacht naar Fee.

Verlegen kijkt ze naar het hartje en dan kijkt ze voorzichtig weer naar Thijs. Hij kijkt nog steeds naar haar. Ze glimlacht terug.

'En Thijs, werkt jouw moeder nog altijd op de universiteit?' vraagt Fees moeder.

'Ze is net begonnen aan een nieuw onderzoek. Iets met kleuters en geheugen. Ik snap er weinig van,' zegt Thijs.

Fee staart naar Thijs' armen.

'En wat doet u voor werk?' vraagt Thijs.

'Mijn moeder is juffrouw,' zegt Fee snel. 'Vertel eens meer over dat onderzoek.'

'Ik geef seksuele voorlichting op scholen. Zo ontzettend leuk. Jongeren van tegenwoordig denken dat ze alles maar weten. Iedereen kan natuurlijk pornofilms kijken op internet. Heb je zo'n film wel eens gezien?'

'Mam!' piept Fee.

Thijs prikt ongemakkelijk met z'n vork in een stukje pannenkoek.

'Mijn vader werkt in het museum Naturalis. Pap, vertel eens over dat skelet van die olifant...' Fee kijkt naar haar vader.

Haar moeder praat enthousiast verder. 'En die films schetsen een verkeerd beeld. Niet dat ik tegen pornofilms ben, hoor. Maar die films zijn gemaakt voor mannen. Het zegt niks over wat vrouwen leuk vinden.'

'Ja, vrouwen...' mompelt Thijs.

'Thijs, ga je nog skiën deze winter?' vraagt Fee.

'Je kent die films toch wel? Een knappe vrouw in een streng secretaressepakje. Haar baas loopt toevallig het kantoortje binnen. De vrouw verandert in een sexy stoeipoes en trekt spontaan haar blouse uit om haar rode lingerie te showen. De vrouw gaat op het bureau liggen en hupsakee! Seks! Zo gaat het dus helemaal niet in het echte leven. Vrouwen vinden daar echt niks aan.'

Fee wil wel gillen, maar haar mond verstijft. Ze gebaart met haar armen dat haar moeder op moet houden.

'Seks is natuurlijk leuk en spannend, maar het moet wel liefde zijn. Dat wil ik met mijn lessen vertellen. Natuurlijk is het belangrijk dat je het veilig doet en dat je weet hoe je een condoom moet gebruiken. Maar er is zo veel meer!'

Fee schraapt haar keel en kijkt smekend naar haar vader. 'Pap, hoeveel dieren hebben jullie ook alweer in het museum?'

Haar vader kauwt rustig op een stukje pannenkoek.

'Jongeren doen het ook op steeds jongere leeftijd. Gewoon even na afloop van een feestje met de eerste de beste jongen op het toilet. Dat is toch niet normaal meer! Je eerste keer moet wel bijzonder zijn. Dat moment vergeet je je hele leven niet meer. En de eerste keer is ongemakkelijk, hoor, neem dat maar van mij aan. Lijkt mij nogal een drama met een vreemde.'

'Mam, kun je mij de stroop even geven?' Fee kijkt haar moeder woest aan. Hoe haalt ze het in haar hoofd om dit te bespreken terwijl Thijs aan tafel zit?

Haar moeder schuift de stroop over de tafel naar Fee. 'Dat zoenen, op welke leeftijd begint dat tegenwoordig? Jij hebt toch nog nooit gezoend, Fee?'

'Nee, natuurlijk niet. Mijn dochter kijkt nooit naar jongens,' lacht haar vader.

Proestend spuugt Fee een hap pannenkoek uit haar mond en neemt een grote slok water.

'En jij, Jel?' vraagt haar moeder.

Jelle haalt nonchalant een hand door z'n haren. 'Ja, natuurlijk heb ik wel eens gezoend.'

Verbluft kijkt Fee naar haar broer.

Haar moeder pakt de stroop. 'Thijs, heb jij al eens gezoend?'

Fee voelt haar wangen knalrood worden.

Jelle begint te grinniken.

'Nou ja, ik heb wel eens...'

Fee staart naar Thijs. Ze moet hem naar haar kamer lokken voordat haar moeder nog meer idiote dingen zegt. 'Thijs, kun je mij zo even helpen met wiskunde?' Ze heeft het gezegd! Nu niet knalrood worden, samen huiswerk maken is heel normaal.

Verrast kijkt Thijs naar Fee. 'Ja, natuurlijk.'

Fee propt het laatste stukje pannenkoek naar binnen.

'Laten we maar naar mijn kamer gaan, het is al acht uur en

ik moet nog meer huiswerk maken,' mompelt ze met een volle mond.

Na het eten racet Fee door haar kamer. Ze trekt haar dekbed recht, schudt de kussens en legt ze op een rijtje tegen de muur. Vlug zoekt ze haar cd van Alain Clark op en mikt hem in haar cd-speler. Ze grabbelt een aansteker van haar bureau en steekt de kaarsjes op haar nachtkasje aan. Dan klopt er iemand op de deur. Nog even kijkt ze in de spiegel en frummelt aan haar pony. 'Binnen.'

Thijs duwt de deur open en stapt haar kamer binnen. 'Leuke kamer heb je.'

'Beetje kinderachtig, hè?'

'Helemaal niet, juist gezellig, met die kussens en kaarsjes en zo...'

Fee wiebelt ongemakkelijk met haar voet. Het voelt een beetje raar en onwennig dat ze hier opeens alleen met Thijs is.

Hij ploft neer op haar bed en duwt een kussen achter zijn rug. 'We hebben toch helemaal geen huiswerk voor wiskunde?'

'Nee, maar...' stottert Fee.

'Je wilde me naar je kamer lokken?' lacht Thijs.

Fee pakt een kussen en mept Thijs zachtjes op z'n hoofd.

Thijs kruipt over het bed naar Fee en trekt haar op bed. Hij pakt haar handen en houdt ze met één hand vast boven haar hoofd. Met z'n andere hand begint hij haar te kietelen.

'Hou op!' gilt Fee. Ze rukt haar handen los, grijpt naar een kussen en geeft Thijs opnieuw een mep. Dan kruipt ze tegen Thijs aan. Ze voelt zijn warme arm dwars door haar trui heen gloeien.

Thijs pakt Fees hand en legt zijn hoofd tegen haar schouder. Zachtjes speelt hij met haar vingers.

'Kun je handlezen?' vraagt Fee.

'Inderdaad, ben ik supergoed in. Eens even kijken.' Met z'n wijsvinger tekent Thijs een hartje op Fees hand.

Ze staart naar het hartje op haar hand. 'Sorry voor m'n moeder net.'

'Is toch lachen, ik wou dat mijn moeder zo grappig was.'

'Ik vind haar helemaal niet zo grappig. Zo is ze altijd, hoor! Ze moet altijd alles weten en alles bespreken. Alsof ik daar zin in heb.'

'Soms is het wel handig toch, dingen open bespreken?'

'Soms ook niet.' Fee draait het puntje van haar staart om haar vinger.

'Zonder je moeder was ik hier niet geweest.'

Fee schuift haar hand onder Thijs zijn neus. 'Nou, wat zie je?'

'Zie je deze lijn? Die zegt dat je verschrikkelijk verliefd bent op een ontzettend knappe, slimme, grappige, gespierde, woest aantrekkelijke jongen uit je klas die supergoed in wiskunde is.'

'Jaaa daaag!' Fee duwt haar gezicht in Thijs zijn nek en verstopt haar knalrode wangen vlug onder zijn haren.

'Je bent je toch niet aan het verstoppen, hè?' lacht Thijs.

Fee kruipt nog dichter tegen Thijs aan en legt haar hand voorzichtig op zijn been.

Thijs slaat een arm om haar heen. Samen luisteren ze naar de regendruppels die op het dak tikken. Het lijkt net alsof ze samen in een klein tentje zitten. Dan schrikt ze op. 'Siem is nog buiten!' Fee springt van het bed.

Thijs trekt aan haar trui. 'Die kan toch wel ergens schuilen?'

'Het regent keihard, zo wordt hij ziek. Ik moet hem echt halen!' Fee rent haar kamer uit en stormt de trap af.

Fee houdt haar jas boven haar hoofd en duwt de tuindeur open. Op het grasveld ligt een grote plas water. Waar is Siem? Vlug gaat ze op haar knieën zitten en tuurt langs de heg. Onder het hok ziet ze twee natte pootjes. 'Siem!' Ze rent naar het hok, tilt haar konijn op en duwt hem stevig tegen haar trui. Terwijl ze terug naar binnen rent, aait ze hem over z'n oren en geeft hem een kus.

'Arm konijn.' Ze pakt een handdoek van het aanrecht en wikkelt die om Siem heen. Ze vouwt haar armen om hem heen en blaast warme lucht door de handdoek. Samen gaan ze aan de keukentafel zitten. Terwijl Siem aan haar arm snuffelt, tilt ze de handdoek een stukje op om te voelen of hij al opgewarmd is. Misschien moet ze een kruik voor hem maken. Dan hoort ze vanuit de woonkamer een oerkreet.

'Doelpunt!' hoort ze Jelle gillen.

'Nu staat het 1-1, spannend!'

Dat is de stem van Thijs. Fee voelt haar schouders in elkaar zakken. Verdomme, hij zit gewoon voetbal te kijken. Waarom heeft hij niet boven op haar gewacht? Het was zo gezellig. Of heeft ze zich dat ingebeeld? Haar oog valt op het briefje met beschrijvingen van de edelstenen. Nieuwsgierig rollen haar ogen naar de beschrijving van de gouden steen.

Barende steen
De Biotiet-lens, ook wel de barende steen genoemd, is een hoogst zeldzame steen. Je herkent de steen direct aan de gouden gloed. De steen beschermt tegen invloeden van buitenaf. Lichamelijk helpt deze steen bij verzuring, verstopping en nierklachten. Vergemakkelijkt de bevalling: activeert weeën, ontspant de bekkenbodem en baarmoedermond.

Weer hoort ze Thijs schreeuwen. Weg magie. Fee pakt de steen uit haar zak en knalt hem hard op tafel. Rotsteen! Ze buigt zich voorover en geeft Siem een kus.

Post-it

Fee kijkt op haar horloge. Het is pas kwart voor negen. Haar vriendinnen komen altijd vlak voor negen uur het schoolplein op rennen. Gelukkig was ze vroeg, zodat ze de kaart van Thijs ongemerkt kon pakken. Het is een roze kaart met een dansende muis erop. Wat bedoelt hij daar nou mee?

Lieve Lulu

Heel dichtbij...? Eens even denken welke meisjes er allemaal heel dichtbij waren gisteren. :) Er is maar één meisje altijd dicht bij m'n hart en die ruikt altijd lekker. Hoop zo dat jij dat bent.

Heb je roze wangen nu je dit leest? Dan ben je het vast... ;)

X op je roze wang. T

Fee pakt een appel uit haar tas en denkt aan gisteravond met Thijs op haar kamer. Daar staat geen woord over in de kaart. Zou hij op iemand anders verliefd zijn? Wie is dat meisje dat altijd dicht bij zijn hart zit? Daarom is hij natuurlijk na de voetbalwedstrijd meteen naar huis gegaan. Voor het schoolhek ziet ze Laura lopen.

Ze heeft een kort rokje aan met een zwart glitterjasje. Op haar hoofd prijkt een lila hoedje. Met zwierende heupen paradeert ze het schoolplein op. Vlug stopt Fee de kaart in haar tas.

'Bonjour Fee.' Uitbundig slaat Laura haar armen om Fee heen en geeft haar drie luchtkussen.

'Gaan we voortaan zoenen?' lacht Fee.

'Ja, dat is lekker Frans. Ik heb bedacht dat ik Parisienne word. Daarom heb ik al mijn zwarte kleren aangetrokken en mijn All Stars, zo zien alle Franse meisjes eruit. Zal ik ook rode lippenstift opdoen?' Laura vist een rode lippenstift uit haar jaszak.

'Waarom wil je Française worden?'

'Voulez-vous coucher avec moi, duh?'

Fee staart naar Laura.

'Françaises zijn spannend en mysterieus, dat vinden jongens interessant. Kijk, ik heb m'n nagels ook zwart gelakt.' Laura wappert haar zwartgelakte nagels voor Fees gezicht. 'Weet je wat tongzoenen in het Engels is? French kissing. Dat kan toch geen toeval zijn?'

'Misschien moet je wat Franse jongens toevoegen aan je to dolijstje.' En Thijs ervanaf halen, denkt Fee.

'Van Franse jongens kan je inderdaad goed zoenen leren, maar het probleem is dat ik nooit in Frankrijk ben. Mijn ouders huren de hele zomer een caravan in Renesse, weet je nog. Maar modellen komen heel vaak in Parijs. Dus ik heb bedacht dat ik een deel van mijn onderzoek door jou moet laten doen.'

'Dus ik moet voor jou naar Parijs om daar met Franse jongens te gaan zoenen?' stamelt Fee.

'Precies. En dan vul je voor mij een evaluatieformulier in. Je moet wel een beetje verschillende soorten jongens uitzoeken. Een stoere, een kunstzinnige en iemand die veel sport. Dat kan allemaal invloed hebben op de manier waarop hij kust. Franse jongens kussen heel langzaam en teder, heb ik gehoord, dus het is geen straf.'

'Van wie hoor je dat soort dingen?'

'Van mijn nicht.' Laura pakt haar Dora-boekje uit haar tas. 'Zal ik wat kopietjes voor je maken of wil je liever een eigen boekje?'

'Daaag, ik ga geen jongens voor jou evalueren.' Alsof er ook maar een Fransman bestaat die met mij wil kussen, denkt Fee.

'We delen de resultaten. Dan vertel ik jou hoe Roy zoent. Of Thijs.'

Fee spuugt een stukje Liga uit. 'Thijs?'

'Thijs staat op mijn to do-lijstje, weet je nog?'

Zenuwachtig tikt Fee met haar vingers tegen haar tas. 'Misschien moet je die maar schrappen, want die zoent al met iedereen.'

'Ja, daarom staat hij juist op mijn lijst. Hij heeft superveel ervaring.'

Fee haalt diep adem. Ze moet Laura vertellen dat ze verliefd op Thijs is. Dadelijk gaan ze echt zoenen en dan is die zoen vast zo goed dat ze hem nooit meer loslaat. Waarom heeft ze Thijs gisteren zelf geen zoen gegeven? Ze strekt haar rug en haalt diep adem. 'Zeg Lau...'

Plotseling springt Laura op van de bank. 'Wow, moet je Lana zien!' gilt ze loeihard over het schoolplein.

Voor hen staat Lana uit de tweede. Verschrikt kijkt Fee naar Lana's jas. 'Ze heeft een bontjas aan!'

'Zooo Gucci!' roept Laura. 'Helemaal af met dat geruite jurkje en die laarzen. Ik moet ook zo'n jas hebben.'

Fee trekt een vies gezicht. 'Het is konijnenbont.'

'So what? Jij hebt toch ook leren schoenen aan?'

'Dat is over van een koe die mensen gegeten hebben,' zegt Fee, terwijl ze geobsedeerd naar Lana's jas staart.

'Mensen eten toch ook konijnen?'

'Van die konijnen worden echt geen jassen gemaakt, hoor. Die worden speciaal gefokt, zodat ze extra mooie vachtjes krijgen. Een vleeskonijn zit zes weken gevangen en een bontkonijn wel een halfjaar. Niet dat ik vleeskonijnen minder zielig vind...'

'Misschien was het wel een heel gemeen konijn? Niet alle konijnen zijn zo lief als Siem.'

'Van één konijn kan je echt geen jas maken. Voor zo'n jasje zijn wel veertig konijnen gebruikt.'

'Veertig?'

'Veertig lieve, zachte konijntjes zoals Siem.'

Laura staart naar de bontjas. 'Misschien hebben ze wel een heel mooi leven gehad.'

'Een leven in een piepklein hok.'

'Maar het staat wel echt mooi.'

Verbaasd kijkt Fee naar Laura. 'Je kunt toch een nepbontje kopen? Die stinken ook niet.'

'Je denkt dat Lana stinkt?'

'Bont ruikt naar dooie beesten.'

Fee pakt haar roze Post-its uit haar tas. Met een zwarte stift tekent ze er een konijntje op. 'Lief, hè?' schrijft ze erbij.

'Let op.' Fee geeft haar tas aan Laura en springt van de bank. Ze loopt vlak achter Lana langs en plakt vliegensvlug de Post-it op haar rug. Tevreden huppelt ze terug naar Laura.

'Nog een, je moet er nog een op haar rug plakken!' piept Laura.

Fee pakt haar roze Post-its en samen met Laura tekent ze een hele stapel konijnen. 'Konijnenbeul' schrijft Fee er met een dikke stift bij.

'Kom mee.' Laura duwt haar konijnen in Fees hand en loopt langzaam naar Lana. 'Ik ga haar wel afleiden.'

Zwierig loopt Laura naar Lana en slaat haar handen voor haar gezicht. 'Lana, wat een mooie jas! Ik zit er al de hele tijd naar te kijken. Hij is zooo Gucci!'

Lana glimlacht trots. 'Vet hè, van echte konijnen. Vind je ook niet dat ik op Kate Moss lijk?'

Zachtjes maar vlug drukt Fee de briefjes tegen Lana's jas.

'O ja, je lijkt echt ontzettend op Kate Moss. Mag ik even ruiken?' vraagt Laura terwijl ze haar neus in de jas drukt.

100% SWEET
LIEF HE
I ♥
I ♥ Konijn
Bont = Moord

Fee steekt haar Post-its in de lucht. Nog twintig te gaan. Ze gebaart naar Laura dat ze Lana aan de praat moet houden en drukt nog een roze velletje tegen het pluizige bont. Een konijn met pruilmond en dikke tranen, net goed.

'Hij ruikt zooo heerlijk!' roept Laura. 'Is zeker wel lekker warm zo'n bontje?'

Lana nestelt zich in de jas en duwt de kraag tegen haar wangen. 'Hij is zo lekker zacht! Ik draag echt nooit meer iets anders. Ik bedoel, zo'n jas van stof is zo gewoontjes.'

Fee plakt de laatste velletjes op Laura's mouw en steekt haar duim omhoog naar Laura.

Laura kijkt twijfelend naar Lana. 'Wat ik je nog wilde vragen. Hoe zoent Thijs?'

Fee schrikt en gebaart dat Laura weg moet gaan.

'Nou, dat hoor ik later nog wel. Doei!' Laura zet haar hoedje op en loopt naar de ingang van de school.

Voorzichtig stapt Fee naar achteren en duwt haar rug tegen de glazen schooldeur. Glunderend kijkt ze naar Lana's jas, die van boven tot onder vol roze velletjes zit. Dan ziet ze door de ruit Thijs naast de plantenbak staan. Verdomme, hij heeft alles gezien. Ze duwt de deur open en rent naar hem toe. 'Je houdt je mond.'

'Hé, kleine Georgina Verbaan, was gezellig gisteren,' zegt Thijs.

'Ja, dat was het. Gezellig,' stamelt Fee. Waarom ging hij dan voetbal kijken?

'Gaat het goed met Siem?' vraagt Thijs.

'Beetje niesen en zo.' Beetje niesen? Ze moet iets beters zeggen. Ze moet vragen of hij haar weer komt helpen met wiskunde. 'Thijs, wat ik je wilde vragen...'

'Goeie actie is dat met Lana.' Thijs' ogen twinkelen.

'Ranzige jas, Lana is gek geworden.' Fee staart naar Thijs. Opeens start er een kort filmpje in haar hoofd. Lana loopt in haar bontjas met wiegende heupen op Thijs af. Thijs steekt z'n handen uit en drukt haar tegen z'n borst. Hij strijkt zijn hand langs

Lana's bontjas en ze zoenen hartstochtelijk. 'Je hebt gezoend met iemand die bont draagt, getverderrie.' Ze voelt haar maag zich omdraaien. 'Ik snap echt niet dat je met dit soort trutten zoent.'

'Het was maar een kus. Een heel korte. En ze had geen bontjas aan.'

'Wat had ze dan aan? Een sexy topje met een V tot aan haar navel?'

'Fee, doe eens rustig. Ik vind het een coole actie van je.'

Ongemakkelijk bijt Fee op haar lip.

Thijs slaat een arm om haar heen en knijpt zachtjes in haar wang. 'Of ben je soms jaloers?'

Dan klinkt er vanaf het schoolplein een oerkreet.

'Kijk nou, Lana wordt gek.' Thijs pakt Fees hand en rent naar het raam.

Buiten plukt Lana hysterisch gillend de briefjes van haar jas alsof het vlooien zijn.

Fee trekt Thijs aan zijn jas mee. 'Ik ga rennen. Ik moet nog even iets uit m'n locker pakken en de les begint zo.' Ze wacht tot Thijs het trappenhuis in loopt en tilt voorzichtig de plantenbak op. Vlug schuift ze de kaart eronder en rent naar haar lokaal.

Seksuele voorlichting

Fee legt haar armen op haar bureau en speelt verveeld met een gum. Mentorles, helemaal geen zin in, denkt ze. Slaperig tekent ze met een roze pen een gezichtje op haar gum en kijkt voorzichtig naar Thijs. Waarom kan ze niet normaal tegen hem doen? Waarom is ze geen verleidelijke Penélope Cruz die met drie dromerige knipogen alle mannen knock-out krijgt? Ze kijkt naar Laura, die haar donker opgemaakte ogen langs Thijs laat rollen. En waarom kan Laura dat wel?

Meneer Thomas slaat met z'n handen op tafel. 'Vandaag een bijzonder leerzame les: seksuele voorlichting!'

De hele klas schrikt op en begint te lachen.

Wat? Fee kijkt ongemakkelijk naar Thijs.

'Seks, spannend...' roept Laura.

'Niet voor in de klas,' sist Fee.

Meneer Thomas loopt naar de deur van het klaslokaal. 'Voor deze les hebben we een speciale gastdocent. Een applaus voor Inge, de moeder van Fee!'

Met een harde klap laat Fee haar hoofd op tafel vallen. Dit kan niet waar zijn.

Laura geeft een por in haar zij. 'Ik wist niet dat jouw moeder daar verstand van heeft. Vet handig!'

Op hoge hakken loopt Fees moeder de klas binnen. Trots lacht ze naar Fee. 'Verrassing!'

Verstijfd kijkt Fee naar haar moeders loeihoge pumps. Sinds wanneer draagt ze zulke hakken?

'Hallo allemaal!' roept haar moeder stralend. 'Ik wilde beginnen met een dvd.' Ze richt de afstandsbediening op de dvd-speler.

Nee, denkt Fee. Ze ziet een blonde stewardess op het scherm. Fee knijpt haar ogen dicht en hapt naar lucht. Voorzichtig kijkt ze door haar wimpers naar de televisie. De blonde stewardess loopt in een knalblauw mantelpakje met een kort rokje het kantoor van de piloot binnen. Ze laat een map met papieren vallen en bukt. De knappe piloot staart naar haar lange benen en komt achter zijn bureau vandaan. Hij knielt naast de stewardess op de grond en helpt haar om de papieren op te rapen. Z'n hand raakt per ongeluk haar bil en de vrouw begint ondeugend te lachen.

'Wat is het warm, het lijkt de tropen wel,' zegt de piloot terwijl hij puffend z'n jasje uittrekt.

De stewardess zucht beamend, wappert met haar handen en knoopt haar jasje los.

'Zal ik je helpen?' De piloot gaat achter de vrouw staan en trekt hongerig haar jasje uit. Dan legt hij z'n handen om haar middel en fluistert iets in haar oor.

De stewardess lacht gewillig en schudt woest met haar blonde haren.

De piloot duwt haar op z'n bureau en trekt in één wilde beweging zijn riem los.

Terwijl de stewardess sexy op haar kauwgom kauwt, buigt de piloot over de vrouw heen en rukt haar blouse los. De knoopjes rollen over het bureau.

Fees moeder zet het beeld stil. 'Zo, dat was een bijzonder spannende film. Wie heeft er al eerder porno gekeken?' vraagt ze luchtig.

De hele klas begint te giechelen.

'Jullie hebben vast wel eens dit soort filmpjes online gezien, nou?' Haar moeder kijkt uitdagend de klas in. Niemand reageert.

'En wie denkt dat seks in het echte leven gaat zoals in deze film?'

Niels en Duncan steken gierend van het lachen een vinger op.

'Nou heren, ik moet jullie teleurstellen. Zo gaat het dus helemaal niet in het echte leven. Vrouwen vinden daar echt niks aan.'

Niels loopt rood aan en kijkt ongemakkelijk naar Duncan.

'Seks is natuurlijk leuk en spannend, maar veel belangrijker is liefde. Dit filmpje gaat over lust, het is gemaakt voor mannen. Voor vrouwen zijn heel andere dingen belangrijk.'

Geërgerd steekt Fee haar vingers in haar oren. Vorige maand was Ilayda's moeder in de klas om iets te vertellen over een inzamelingsactie voor een weeshuis in KwaZulu. Waarom komt haar moeder een pornofilm laten zien?

Haar moeder loopt naar de televisie en wijst met een balpen naar de borsten van de blonde stewardess die op het bureau van de piloot ligt. 'Als jullie later een vrouw met dit soort borsten willen hebben, moet je goed je best doen op school. Dit soort borsten kost namelijk tienduizend euro. Het bestaat niet dat borsten recht omhoog blijven staan als je zo ligt, echte borsten zijn daar veel te zacht voor. Deze borsten zijn gevuld met siliconen.'

'Tienduizend euro? Daar kan je tien Gucci-tassen voor kopen,' piept Laura.

'Vijf!' roept Fees moeder naar Laura.

Laura's mond valt open. 'Wow, jouw moeder is echt slim.'

'Daarbij vallen ook niet alle mannen op maatje watermeloen. Laten we even een klein onderzoekje doen in deze klas. Mannen, wie van jullie valt op grote borsten?' vraagt Fees moeder. Niemand reageert. 'Kom op, niet zo bang, waar blijven die vingers?'

Huib en Zerrin steken hun vinger op. Drie andere jongens steken ook vluchtig een hand in de lucht.

Heel voorzichtig draait Fee haar hoofd naar Thijs. Gelukkig, z'n handen blijven op tafel liggen.

'Ongeveer de helft dus. Wie van jullie ziet liever kleintjes?'

Vier jongens steken een hand in de lucht. Fees moeder telt de vingers. 'Ik mis er een paar. Thijs, volgens mij heb jij je hand niet opgestoken?'

'Het maakt me eigenlijk niet zo veel uit,' mompelt Thijs.

'Precies!' Fees moeder klapt in haar handen. 'Het maakt ook niks uit. Je wordt verliefd op hoe iemand lacht, hoe iemand praat en ruikt. Het zijn kleine dingetjes waar je hart sneller van gaat kloppen.'

'Thijs, wat is dat bij jou? Wat vind jij aantrekkelijk aan een meisje?'

Fee kijkt boos naar haar moeder.

'Nou, een glimlach inderdaad. Ik weet niet, een meisje moet grappig en bijzonder zijn, anders dan andere meisjes of zo...'

Fee grabbelt een spiegeltje uit haar etui en bestudeert onopvallend haar glimlach.

'En jij, Zerrin?' vraagt haar moeder.

'Ook een glimlach of zo,' mompelt Zerrin.

'Horen jullie dat, dames? De liefde is magisch. Een glimlach, hoe iemand praat of kijkt. In het echte leven draait het echt niet om grote borsten.'

De hele klas schiet in de lach.

Laura steekt haar vinger op. 'Een jongen moet toch wel lekker kunnen zoenen of zo?'

Fees moeder gaat op het bureau van de leraar zitten. 'Als je verliefd op iemand bent, zoent hij altijd lekker. Er komen dan liefdesstofjes vrij, endorfinen. Daar krijg je een fijn gevoel van.'

Laura haalt een hand door haar pony en knipoogt met een aanlokkelijke glimlach naar Thijs.

Snel buigt Fee haar hoofd naar voren zodat Thijs Laura niet meer kan zien.

'Fee, wat is het liefste wat een jongen wel eens voor jou gedaan heeft?' vraagt haar moeder.

Naast mij op bed zitten, denkt Fee. 'Weet ik veel...' zegt ze. Alsof ze dat midden in de klas gaat vertellen. Aan haar eigen moeder!

'Ik wil dat jullie nu allemaal een lijstje maken met de tien liefste dingen die iemand voor je kan doen. Iemand waar je verliefd op bent. Het hoeft niet echt gebeurd te zijn, je mag het allemaal verzinnen.' Fees moeder pakt een stapel wit papier en deelt die uit in de klas.

Fee staart naar het witte vel op haar bureau. Dromerig kijkt ze naar Thijs. Wat zou hij opschrijven?

Aan het einde van de les lopen Fee en haar moeder door de gang.

'Hoe kun je nou dit soort lessen geven in mijn klas? Ik schaam me dood.' Geïrriteerd stapt Fee voor haar moeder uit.

'Ik wilde oefenen. Daarom heb ik je mentor gebeld of ik een proefles mocht geven aan jouw klas. Dacht, dat is leuk.'

'Nou, ik vind het helemaal niet leuk. En ik vond je les stom. Die film, hoe haal je het in je hoofd? En dat verhaal over die borsten! Weet je hoe gênant het is om je moeder over borsten te horen praten?'

'Volgens mij vond je klas het hartstikke leuk.' Haar moeder slaat een arm om Fee heen.

Woest duwt Fee haar moeders arm weg. 'Er zijn honderden andere klassen waarmee je kunt oefenen. Dat doe je toch niet bij je eigen dochter in de les?'

'Ik dacht dat je het leuk zou vinden om te zien wat ik doe.'

'Het interesseert me geen bal wat je doet!' roept Fee. 'Je had het toch eerst kunnen vragen?'

'Ik wilde je verrassen,' stamelt Fees moeder.

'Ik hou helemaal niet van verrassingen, zeker niet van jou. Dat komt omdat je altijd raar doet. Net zoals toen Thijs bij ons kwam eten. Hoe kun je hem nou vragen of hij wel eens gezoend heeft?'

'Nou zeg, dat is toch geen wereldschokkend onderwerp?' Verbaasd kijkt haar moeder naar Fee.

'Voor mij dus wel. Ik heb helemaal geen zin om dat soort dingen met jou te bespreken. Met moeders praat je over heel andere dingen.'

'Wees blij dat je met mij over dat soort dingen kunt praten.'

Fee stopt met lopen en kijkt woedend naar haar moeder. 'Ik ben niet blij! Ga alsjeblieft naar huis.' Ze draait zich om en holt de gang uit. Als ze voorbij het roosterbord rent, ziet ze een wit stukje papier onder de plantenbak uit steken.

De 10 liefste dingen die een meisje voor mij kan doen:
Door Thijs
1. Konijnen uitknippen
2. Hartjes tekenen
3. Kaarten onder een plantenbak leggen
4. Errrrg lief naar me lachen
5. Kaarsjes neerzetten
6. Boos worden om een woordenboek :)
7. Blozen
8. Gewoon naast me zitten en kletsen
9. Die kusjes onder aan de kaarten zetten...
10. JE NAAM DUIDELIJK OP JE VOLGENDE KAART ZETTEN!! IK RAAK ONTZETTEND IN DE WAR VAN JE KAARTEN!! IK WORD GEK!!!

Het is niet eng... ik denk dat ik wel weet wie je bent. En als je iemand anders bent, lach ik je echt niet uit, hoor. Het blijft ons geheim. ;)
T

Verwonderd staart Fee naar het lijstje. Snel slaat ze een hand voor haar mond om haar glimlach te verbergen. Haar handen trillen van de spanning. Dit is het liefste lijstje dat ze ooit heeft gezien. Hij heeft haar door. Maar wat betekent dit lijstje? Vindt hij haar ook leuk? Waarom wordt hij gek? Haar hoofd duizelt,

Thijs vindt haar dus ook leuk! Zal ze haar lijstje met naam ook onder de plant verstoppen? Of moet ze hem nu gaan zoeken? Misschien is hij nog ergens op school. Ongemakkelijk kijkt ze om zich heen. De horoscoop flitst door haar hoofd. Tweelingen zijn snel verveeld. Als ze haar naam op de kaart zet, fladdert hij natuurlijk meteen naar die nieuwe struik. Ze kan het beter nog even geheimhouden. Vlug stopt ze het briefje diep in haar jaszak en ze rent naar buiten.

Bontgirl

Gehaast duwt Fee de grote glazen deur van het pakhuis open. Vandaag heeft ze haar eerste modeshow. De zenuwen gieren nu al door haar lijf. Onrustig loopt ze de enorme ruimte binnen. Op een stoeltje bij de kapstokken ziet ze een meisje in een zilveren jurkje met paarse stippen. Ze draagt een glanzende legging en knalroze All Stars. Haar zwarte haren hangen losjes over haar schouders en op haar hoofd staat een zwarte alpinopet met gekleurde pailletten. Jikke! Opgelucht stormt ze op haar af.

'Stoere pet!' roept Fee.

'Vind je? Heb ik vorig jaar in Parijs gekregen na afloop van de show van Sonia Rykiel. Is mijn favoriet, want daar mag je lachen en dansen op de catwalk.' Jikke staat op en geeft Fee drie zoenen.

'Hoe gaat ie?' vraagt Fee, terwijl ze neerploft op de stoel naast Jikke.

'Ssst, ik heb het veel te laat gemaakt gisteren. Hoop dat ze zo een dikke laag make-up op mijn wallen smeren. Geen voorbeeld aan mij nemen, hoor,' lacht Jikke.

'Heb je champagne gedronken?' vraagt Fee.

'Nee, alleen maar cola, anders was ik mijn bed überhaupt niet uit gekomen vanochtend. Ik drink vrijwel nooit, anders hou je dit werk niet vol.'

Fee pakt een flesje water uit haar tas. 'Was er een feestje?'

'Na de show van Ilja Visser zijn we nog wat gaan drinken met het hele team. We stonden met gifgroene make-up van de show en een enorm getoupeerde haarbos in de kroeg. Het was zo grappig! Dany was ook mee, hij moet hier ook ergens rondlopen vandaag.' Jikke legt haar handen tegen haar voorhoofd en laat zich onderuitzakken in haar stoel. 'Ik stond om vijf uur vanochtend nog een broodje kroket te eten op het Rembrandtplein.'

Vol verbazing kijkt Fee naar Jikke.

'Niet zo kijken! Dat doe ik bijna nooit! Maar het was gewoon een lachwekkende avond.'

'Kom je de dag wel door vandaag?'

'Nou, we gaan toch vooral niks doen. Beetje wachten op je stoel. Over een uurtje komt iemand ons halen om de kleding door te passen en je haar en make-up te doen. Vervolgens loop je de rest van de dag met grote rollers in je haar rond. En we gaan nog wel even oefenen voor de catwalk.'

Weer voelt Fee een zenuwsteek in haar maag. 'Is dat moeilijk? Ik heb nog nooit een show gelopen.'

'Nee joh, gewoon rustig lopen, rug recht, armen stilhouden en vooral niet lachen! De truc is om zo veel mogelijk op een dooie muis te lijken,' lacht Jikke. 'Er zijn verschillende loopjes. Bij shows van Dolce&Gabbana en Gucci is het allemaal wat meer vanuit de heupen. Maar vandaag moet je zo min mogelijk opvallen, het gaat om de kleding. Het is wel belangrijk om aan het einde van de catwalk een sterke pose te maken, want daar staan alle fotografen. Dat gaan we zo wel even oefenen. Door al die flitsende camera's ben je vervolgens halfblind en loop je een beetje op je gevoel weer terug.

'Heb je je al aangemeld?' vraagt Jikke terwijl ze van haar stoel opspringt. 'Als jij Karine even gedag gaat zeggen, dan ga ik op zoek naar voedsel.'

Twee uur later staat Fee in haar bh en gestreepte panty in een grote ruimte vol kledingrekken. Overal waar ze kijkt, staan lange rijen hoge hakken. Aan de muur hangen foto's van alle modellen met de outfits voor de show erbij getekend. Terwijl ze naar de schetsen tuurt, friemelt er een dame aan haar haren en schuift iemand anders verschillende hakken aan haar voeten.

Aan een rek hangt een mintgroen ballonjurkje en een azuurblauwe catsuit.

'Zijn deze kleren voor mij?' vraagt Fee voorzichtig.

'Even geen vragen,' roept de vrouw, terwijl ze razendsnel een knot in Fees haar draait.

'Schat, welke schoenmaat heb je?' vraagt een man.

'Zevenendertig,' antwoordt Fee rustig.

'Hmm, ik heb deze alleen in maat negenendertig, maar dan proppen we er wel wat watten bij.' De man pakt een paar pumps uit een doos en zet ze voor Fee op de grond.

De vrouw knipt met haar vingers. 'We gaan de catsuit passen. Trek je bh even uit.'

Fee knoopt haar bh los en steekt haar armen in de lucht alsof ze dagelijks poedelnaakt in een ruimte met veertig mensen staat.

Zorgvuldig schuift de vrouw de satijnen stof over haar lijf. 'Perfect, ik duw je borsten zo nog even omhoog met tape, anders ben je net een plank in deze jurk. Blijf zo staan, ik ga de jas zoeken.' Ze duwt haar speldenkussen in Fees hand en rent weg.

Dan ziet Fee Dany voorbijrennen. 'Dany!' piept Fee, terwijl ze haar best doet om niet te bewegen.

'Fee, wolk van betoverende schoonheid!' Dany stormt op Fee af en geeft haar een kus. 'My God, blauw is zo jouw kleur! Wat een meesterlijke billen heb je in deze catsuit!'

'Ben je aan het werk hier?' vraagt Fee.

'O ja, schat. Gruwelijke dagen deze Fashion Week, ik heb mijn bed nauwelijks gezien.' Dany loopt naar de spiegel. 'Zie je hoe lelijk ik geworden ben? Ik moet snel op zoek naar een rijke man, dan kan ik de rest van mijn leven op de bank liggen en mijn nagels lakken. En slagroomtaart eten. De hele dag slagroom, wat een heerlijkheid zou dat zijn! Ik zie je zo, darling!'

Even later komt de vrouw terug met een groot rek vol kleding in zwarte hoezen. Ze zet het rek naast Fee, pakt een van de hangers en ritst de hoes open.

Verschrikt slaat Fee een hand voor haar mond. 'Maar dat is een...'

'Prachtig is deze, hè, dit is het topstuk van de show, het kan je doorbraak zijn!'

'Ik draag geen bont,' zegt Fee resoluut.

'Dat soort ideeën zijn prima in je vrije tijd, maar je bent nu aan het werk. Ik werk me al zeven dagen helemaal te pletter en ik heb nu echt geen zin in tegenstribbelende modellen. Bovendien begrijp ik je niet, want die konijnen zijn toch al dood. Het maakt dus geen bal uit of je de jas wel of niet draagt, het kwaad is al geschied.'

Verbluft staart Fee naar de perzikkleurige bontjas. 'Maar ik trek die jas echt niet aan.'

De vrouw zucht geërgerd. 'Mag ik je er even aan herinneren dat je net nieuw bent? En dat je hiervoor betaald wordt? Dit soort sterallures kun jij je echt niet veroorloven. Hup, geen gezeik, trek aan die jas.'

Voorzichtig strijkt Fee een vinger langs de haartjes van de jas. Getver, denkt ze, het voelt precies zo zacht als Siem.

'Doe niet zo onprofessioneel.' De vrouw houdt de jas open voor Fee.

Fee sprint naar achter. 'Er zijn toch genoeg andere modellen? Kan iemand anders die jas niet aan?'

'Mika heeft duidelijk gezegd dat hij jou in die jas wil zien. Doe alsjeblieft niet zo dom, zo'n kans krijg je geen tweede keer.' De vrouw pakt Fees arm en sjort hem in de mouw van de jas. 'Je hebt net toch ook een broodje rookvlees gegeten? Ik zie het verschil niet. Is een koe minder zielig dan een konijn?'

Aarzelend steekt Fee haar arm in de andere mouw. Ze steekt haar neus in de jas. Als ze de muffe lucht van het bont ruikt, lopen de rillingen over haar rug. Ze denkt aan Siem. En dan denkt ze aan opa Siem. Opeens moet ze heel erg aan haar opa denken. 'Ben ik al klaar? Ik moet eigenlijk heel erg nodig naar de wc,' stamelt Fee.

Fee staart in de spiegel van het toilet. Hoe kan ze nou een bontjas aan trekken? Ze haalt diep adem en tuurt naar haar ogen in de spiegel. Dit is toch wat ik wilde? Ik wil toch model worden?

Dan gaat de deur open. 'Hoi Jik,' fluistert Fee.

'Gaat het met jou? Je ziet lijkbleek,' zegt Jikke, terwijl ze een arm om Fee heen slaat. 'Eerste modelleninzinking?'

'Zoiets.' Fee draait de kraan open en laat het koude water langs haar vingers stromen.

Jikke klimt op de wasbak. 'Die kleedsters hebben al een hele week achter de rug, je moet het je niet persoonlijk aantrekken, hoor. Het gaat toch hartstikke goed?'

Fee haalt haar schouders op.

'En ik hoorde dat jij de show mag afsluiten! Dat is een hele eer, hoor. Ze zijn echt enthousiast over je, anders doen ze dat niet.' Jikke blaast een wolkje op de spiegel en tekent er een bloem in.

Met een papieren handdoekje dept Fee haar handen af. 'Heb jij wel eens iets gedaan voor dit werk waar je eigenlijk geen zin in had?'

'Vroeg opstaan, haren afknippen, urenlang in het vliegtuig zitten of naar vervelende mensen luisteren bijvoorbeeld? Ik doe niet anders. Maar ik ben vooral aan het genieten, dit maak je nooit meer mee.'

Fee staart naar de witte tegels op de vloer. Haren afknippen had ik ook wel gedaan, denkt ze. Maar een bontjas dragen? Opeens denkt ze aan Thijs. Hij vond modellenwerk niks voor haar, omdat je allemaal rare dingen moet doen. Zou hij dit bedoelen? Rusteloos staart ze naar haar spiegelbeeld. Opeens heeft ze een idee.

'Jik, ik ren even naar de bakker voor een krentenbol.' Ze trekt een trui uit haar tas en grabbelt naar haar fietssleutel.

'Je gaat toch niet weg, hè?' vraagt Jikke.

Fee slaat haar tas over haar schouder en duwt de deur van het toilet open. 'Ik moet even iets regelen.' Vliegensvlug rent ze door de hal van het pakhuis naar buiten.

In volle vaart fietst ze het terrein van de Westergasfabriek over, langs De Bakkerswinkel, over de ophaalbrug in de richting van de winkels.

Fee voelt haar benen rillen in haar pumps. Terwijl een vrouw de rollers uit haar haren trekt, smeert de visagist extra gloss op haar lippen.

Mika kijkt zorgvuldig naar de kraag van haar jas en strijkt met z'n vingers vergenoegd langs het pluizige bont. 'Beautiful, fantastisch. Superstar, bedwelm het publiek met je sexy look!' Hij geeft Fee een luchtkus en trippelt rusteloos naar het volgende model.

Fee luistert naar het geroezemoes in de zaal. Ze voelt de haren van het konijnenbont tegen haar nek plakken. Het licht dooft langzaam. Uit de boxen dreunt harde muziek van de Doors. De modellen stappen een voor een het podium op.

'Denk sixties, seks, Andy Warhol, make love not war,' gilt Mika en hij duwt Fee zachtjes als laatste de catwalk op.

Stijf van de zenuwen zet Fee haar eerste stap. Vanuit haar ooghoeken ziet ze links en rechts rijen mensen zitten. Voorzichtig schrijdt ze op het ritme van de muziek langs het publiek. Rug recht, schouders stil en met een strak gezicht. Ze ziet dat een paar dames uit het publiek naar haar outfit wijzen. De warme lampen branden op haar rug en het bont van de jas kriebelt in haar nek. Aan het einde van de catwalk moet ze haar pose doen. Nog meer zenuwen gieren door haar keel. Ze spant haar armen om de trillingen tegen te gaan. De eerste camera's flitsen. Krachtig zet Fee een hand in haar zij zoals Jikke haar geleerd heeft en ze kijkt uitdagend naar de fotografen. Haar ogen worden direct verblind door alle flitsende camera's. Langzaam laat ze haar hand in haar jaszak glijden en haalt diep adem. Even aarzelt ze. Dan denkt ze aan Siem, aan haar opa en aan Thijs. Zelfverzekerd trekt ze met een ruk de spuitbus uit haar zak en spuit vliegensvlug haar jas vol met knalrode verf. Naast haar hoort ze een vrouw hysterisch

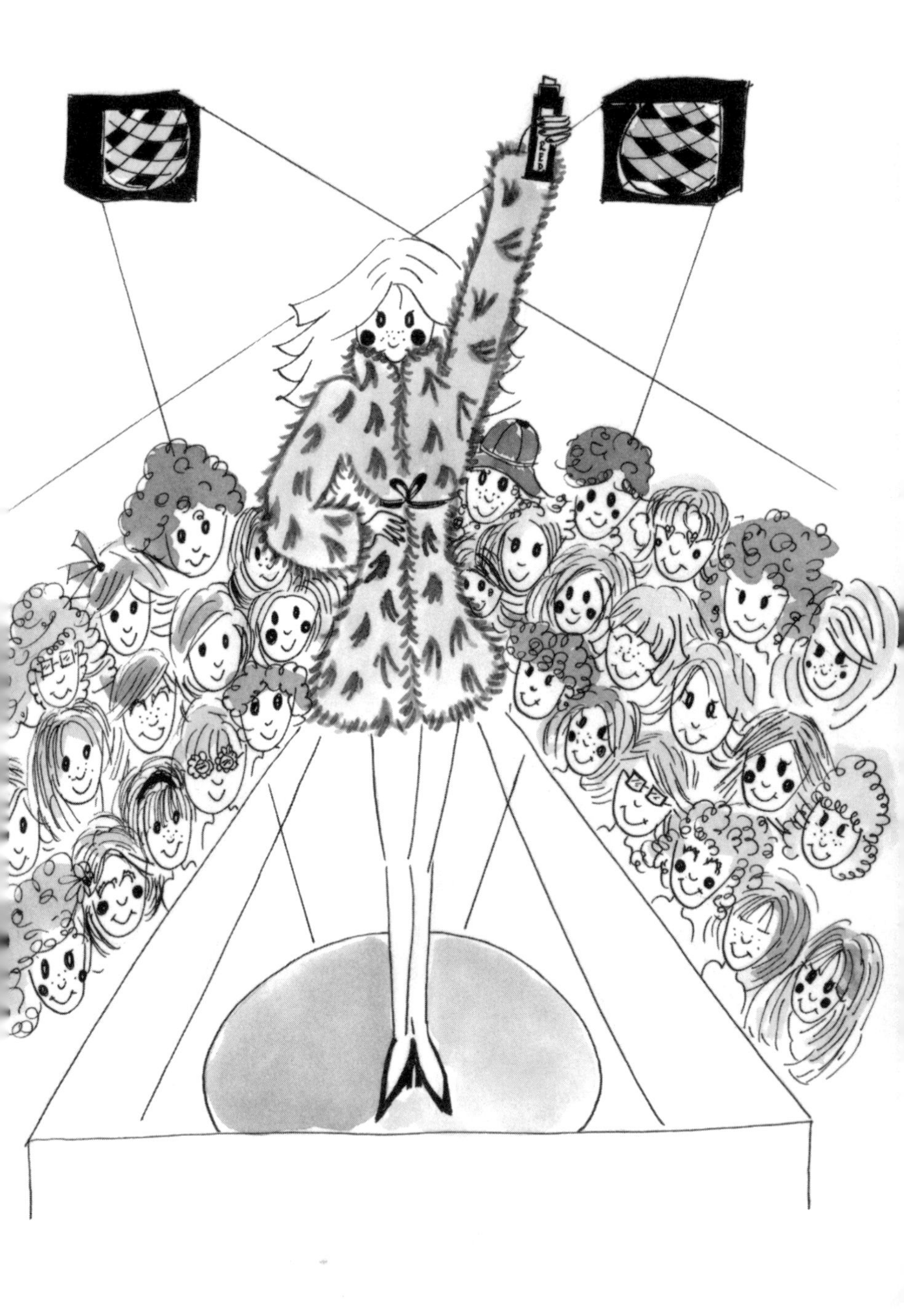

gillen. De hele zaal begint te fluisteren. Fee poseert nogmaals met haar knalrode jas voor de fotografen. Vastberaden draait ze zich om en ze loopt rustig terug. Voorzichtig begint het publiek te klappen. Een paar mensen op de achterste rij staan op en joelen. De hele zaal gaat staan. Het applaus wordt steeds harder. Fee kan haar lachen niet meer inhouden. Aan het einde van de loper kijkt ze nog één keer naar de fotografen en steekt haar handen in de lucht. Glimmend van trots bekijkt ze het bloedspoor van de rode verf. Ze trekt de bontjas uit en slingert hem de catwalk op.

Na afloop van de show vlucht Fee naar haar kleren. Ze hoort Mika hysterisch gillen. Een paar modellen staren haar ontsteld aan. Haastig trekt ze de catsuit uit, grijpt haar tas met kleren van een stoel en hupt in haar onderbroek naar de hal. Gelukkig, voor de balie staat Jikke al.

'Kom, we nemen de achterdeur, hier staat het zo vol met journalisten.' Jikke slaat haar armen om Fee heen en duwt haar een gang in. 'Jee, wat ben jij stoer! Ik erger me al jaren gek aan al die bontjassen, maar dit had ik echt nooit gedurfd.' Ze schuift het klepje van haar camera open. 'Ik maak even een foto van je, dit moment moeten we vastleggen.'

Terwijl Fee haar jurkje aantrekt, glimlacht ze naar de camera.

Jikke maakt een foto en steekt haar hand uit. 'You rock, bontgirl!'

Verlegen lacht Fee naar Jikke en springt in haar witte cowboylaarzen.

'Ik ga zo nog even langs een vintagewinkel bij de Negen Straatjes. Zin om mee te gaan?' Jikke slaat haar tas om haar schouder.

'Is het ver?' Fee trekt de haarspeldjes uit haar knot en trekt Jikke mee naar de deur.

'Tien minuutjes fietsen. Jij bent toch met de fiets? Ik spring wel achterop.'

Samen rennen ze door de achterdeur naar buiten.

Even later loopt Fee samen met Jikke door de Wolvenstraat. Warrig kijkt ze naar de etalages. Wat heeft ze in hemelsnaam gedaan vandaag?

Jikke wijst naar een kleine koffiebar. 'Kom, gaan we eerst even uitblazen en koffiedrinken, hier hebben ze lekkere cappuccino.' Ze duwt de deur open, kiest een tafeltje en ploft neer.

De serveerster stormt op Jikke af en geeft haar drie zoenen.

'Dit is Fee, mijn collega,' lacht Jikke. 'Mag ik een lekkere cappuccino? Fee, wat wil jij drinken?'

'Groene thee graag.' Fee wikkelt haar gestreepte sjaal om en nestelt zich tegen de verwarming aan de muur. 'Het is koud!'

'En doe er ook maar een grote punt chocoladetaart met twee lepeltjes bij!' Jikke trommelt met haar handen op de tafel. 'Jee, wat een dag, ik ben nog steeds van slag door je actie. Wat een stunt! Tijdens de Fashion Week in Parijs protesteert PETA vaak. PETA is een actiegroep die zich verzet tegen het doden van dieren om er een bontjas van te maken. Ze verstoren de shows dan met grote protestborden met foto's van gevilde konijnen erop. Heel ranzig. In China schijnen ze het bont zo van levende konijnen af te trekken.'

Fee voelt een rilling over haar rug lopen.

'Iedereen in modeland vindt ze irritant, maar op de wc ga ik altijd even stiekem hard voor ze applaudisseren. Shows van Dior en Jean-Paul Gaultier stikken van de bontjassen.'

'Ik snap er ook niks van. Nepbont is toch net zo mooi?'

'In Nederland wordt er gelukkig niet zo veel bont meer gedragen. Maar in Parijs lopen er 's winters veel deftige dames in dode beesten rond.' Jikke neemt een slok van haar cappuccino. Het witte schuim plakt aan haar roze gestifte lippen.

'Daarom is het ook zo cool wat je gedaan hebt. Je hebt wel lef, zeg. Hoe oud ben je eigenlijk?' Met een servet dept Jikke het schuim van haar mond.

'Dertien,' zegt Fee terwijl ze in haar theeglas blaast. 'Maar ik heb helemaal geen lef, hoor. Eigenlijk durf ik niks.'

'In je blote billen door de kleedkamer vol compleet vreemde mannen lopen, je eerste shoot in een sexy bikini en nu heb je voor een volle zaal een bontjas rood gespoten. Als dat geen lef is, weet ik het niet meer. En je bent pas dertien! Je wordt later vast ambassadrice van Bont voor Dieren.'

Fee staart naar Jikke. 'Ik ben al heel lang verliefd op een jongen, maar dat durf ik niet tegen hem te zeggen.'

'Dat is ook best eng, hè? Ik weet er alles van. Maar je kunt het beter wel doen, hoor, anders wordt het nooit wat. Jongens zijn verschrikkelijk verlegen. Zeker tegen mooie meisjes zoals wij. En je bent ook slim en grappig, daar worden jongens onzeker van. Je moet ze een beetje helpen.'

'Ik schrijf hem al een paar weken kaarten. Die verstop ik onder een plantenbak op school. Hij schrijft me ook terug, maar hij weet niet dat ik die kaarten stuur.' Fee neemt een slokje van haar thee.

'Meen je dat nou? Wat romantisch! Misschien moet je een keer je naam erop zetten. Of hem een goede hint geven.'

'Dat heb ik gedaan. Volgens mij heeft hij wel door dat ik het ben. Maar nu weet ik niet meer wat ik moet doen.'

'Ga zo naar hem toe!' Jikkes ogen twinkelen.

Fee voelt haar schouders in elkaar zakken. 'Dat durf ik dus niet! Wat moet ik tegen hem zeggen?'

'Je moet niks zeggen, je moet hem kussen,' lacht Jikke.

'Heb jij een vriendje?' vraagt Fee.

'Ik heb een vriend in Londen, hij is fotograaf. Geen modefotograaf, hij maakt supermooie foto's van de natuur voor National Geographic en zo. Ik heb hem ook een beetje moeten helpen, hoor. Jongens denken altijd dat fotomodellen rijen kwijlende mannen achter zich aan hebben, maar dat is helemaal niet waar. Alec woonde naast mij in Londen. We stonden vaak uren te kletsen bij ons op de stoep. Ik dacht dat hij me helemaal niet leuk vond. Na vijf maanden werd ik zo knettergek van verliefdheid dat ik gezegd heb: "Zeg, gaan we nog eens zoenen?" Eindelijk kusten we elkaar op de stoep.'

Met grote ogen kijkt Fee naar Jikke. 'Vanavond hebben we een schoolfeest, misschien moet ik dan iets zeggen.'

'No guts, no glory!'

'Wat?' vraagt Fee.

'Soms moet je een beetje lef hebben in het leven. Als je een bontjas rood durft te spuiten, stelt een liefdesverklaring toch niks meer voor,' lacht Jikke.

Fee voelt haar maag draaien. Een liefdesverklaring is zo veel enger. Ze hoort haar telefoon piepen, weer een oproep gemist van haar modellenbureau. Haar agent heeft al twaalf keer gebeld, ze is vast woedend na vanmiddag. Haar oog valt op een rek met ansichtkaarten aan de muur. Plotseling heeft ze een idee.

Aarzelend kijkt ze naar Jikke. 'Jik, wil je iets voor mij doen? Kun je zo een kaart bij Thijs door de brievenbus stoppen? Het is hier vlakbij.'

'Tuurlijk!'

Fee springt op van de bank en loopt naar het kaartenrek.

Lieve Thijs!
Smolt van je
lijstje en kreeg er
errrg roze wangen van...
je bent echt lief!
misschien ben ik wel wie je denkt.
vanavond om 20.30 uur
voor de DJ op de dansvloer?
zie ik je zo... XOXOX
LuLu Lapin

Tot
vanavond
Lief

(die hier wel
errrg
zenuwachtig
van wordt...)

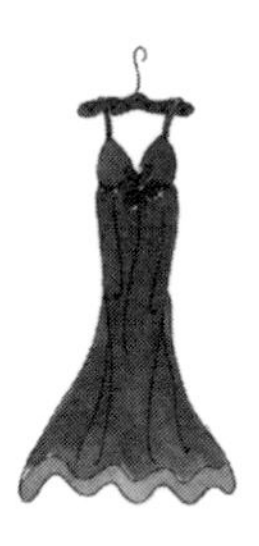

De T van Thijs

Fee staat in haar nachtjapon en joggingbroek in de keuken. Ze spuit een witte klodder Jif op haar handen. Terwijl ze haar vingers over elkaar wrijft, bedenkt ze wat ze vanavond aan zal trekken. Bij een vintagewinkel heeft ze met Jikke een superleuk glitterjurkje gekocht, maar misschien is dat een beetje too much voor een schoolfeest. Ze denkt aan de kaart voor Thijs. Zou hij haar kaart gevonden hebben? Hopelijk heeft hij Jikke niet gezien. Haar maag begint als een dolle te draaien. Wat moet ze tegen hem zeggen als ze hem straks ziet? Misschien kan ze beter iets minder opvallends aantrekken, zoals een spijkerbroek en haar gestreepte ONLY-topje.

'Krijg je de verf er nog af?' vraagt haar moeder terwijl ze de keuken binnenloopt. 'Eigenlijk moet je het laten zitten. Een soort tattoo van je heldendaad!'

'Rode verf past niet bij mijn jurk!'

Haar moeder spuit nog een klodder schuurmiddel op Fees handen en pakt een schuursponsje.

'Mam, hoe oud was jij toen je voor het eerst ging zoenen?'

Haar moeder gaat op het aanrecht zitten. 'Pfff, eens even denken. Jaartje of veertien denk ik. Het was met een jongen op Ameland, ik weet niet eens meer hoe hij heet! Hij was wel erg leuk, lekkere bos blonde krullen. Wacht eens even, heb jij zoenplannen voor vanavond?'

'Nee!' roept Fee.

'Mijn dochter gaat kussen,' lacht haar moeder.

'Echt niet. Nou, misschien.' Snel pakt Fee een theedoek en dept haar handen droog.

Haar moeder kijkt nieuwsgierig naar Fee. 'Ik zal maar niet doorvragen deze keer?'

'Inderdaad.'

'Ik heb net een telefoontje gekregen van je bureau.'

'Boos?'

'Zoiets. Maar ik ben ook razend geworden. Denk dat die dame nu met piepende oren achter haar bureau zit. Je bent dertien! Ik snap niet dat je geen betere begeleiding hebt gekregen. Als jij geen bont wilt dragen, moeten ze naar je luisteren.'

Fee volgt met haar ogen de zeepbellen die het afvoerputje in stromen. 'Daar gaat mijn modellencarrière.'

Haar moeder geeft Fee een kus op haar voorhoofd. 'Maak je niet druk, morgen is iedereen het weer vergeten.'

Dan piept Fees telefoon.

FEE! Je actie staat op youtube! wwwat doe jij aan?? BONTjurkje? Haha luff joe S.

'Sam smst dat het op YouTube staat!' piept Fee.

Terwijl haar moeder naar haar laptop loopt, peutert Fee de laatste restjes verf van haar nagels. Het schoolfeest begint om zeven uur, maar ze heeft met Sam en Laura afgesproken om rond acht uur daar te zijn. Wat moet ze nog doen? Haarlak uit haar haren wassen, gezicht scrubben, nagels lakken, jurkje uitkiezen of misschien toch het topje? Nog twee uur, dat gaat dus nooit lukken.

Dan hoort ze een oerkreet vanuit de woonkamer. 'Je staat op nu.nl!!' gilt haar moeder.

Fee holt naar de woonkamer en buigt zich over de laptop. 'Fotomodel bespuit bontjas' leest Fee.

'Er staat een foto bij!' Haar moeder klikt op de afbeelding.

Op het scherm verschijnt een grote foto van Fee in de met rode verf doordrenkte bontjas.

'Goede pose!' hiepert haar moeder. 'Je moet papa bellen!'

'Ik moet douchen.'

'Het komt natuurlijk ook op het nieuws. Of RTL Boulevard? Misschien gaat Winston je wel aankondigen!'

'Ik heb een schoolfeest, weet je nog?'

'Zal ik vragen of de buren komen kijken?'

'Het feest begint om acht uur!'

'Kom je toch een halfuurtje later? Een beetje vip komt te laat. En jongens moet je altijd laten wachten,' knipoogt haar moeder.

Fee frummelt zenuwachtig aan haar joggingbroek. Een halfuurtje later kan net, als ze om halfnegen maar binnen is.

Om zeven uur staat Fee in het glitterjurkje en een rood vestje in haar kamer. Ze inspecteert haar ballerina's in de spiegel. Misschien kan ze beter laarzen aandoen? En een riempje om haar taille? Ze draait een rondje voor de spiegel. Zal ze haar haren in een staart doen of los? Rusteloos grabbelt ze in haar ladekastje om een haarband te zoeken. Moet ze er zilveren oorringen bij aan of kleine knopjes? Of kan ze beter helemaal geen oorbellen indoen? Nog een keer kijkt ze in de spiegel. De zwarte lijntjes boven haar ogen zijn eigenlijk iets te dik. Misschien moet haar moeder het even voor haar doen. Dan valt haar oog op haar puntige knieën. Deze panty is te dun, ze kan beter haar paarse maillot aantrekken. Jee, wat raak je gestrest van een schoolfeest.

Dan hoort ze haar moeder gillen. 'Fee, naar beneden komen. NU! Je bent bij RTL Boulevard.'

Fee gooit haar maillot op bed, zoeft met een rotvaart de trap af en rent naar de woonkamer.

Op de televisie ziet ze Fiona Hering met een grote grijns naast Albert Verlinde zitten.

'Opmerkelijk nieuws uit modeland. Jaja, daar is ze, kijk eens wat een mooie dame, beeldschoon.'

Achter Fiona en Albert verschijnt de foto van Fee die op haar setcard staat.

'Hoe komen ze daar nou aan?' stamelt Fee. Dan start er een filmpje van de modeshow.

'Ja, pittige dame, hoor, die Fee. En ze is pas dertien jaar! Het is hoogst ongebruikelijk dat modellen op de catwalk tegen bont demonstreren. We hebben wel eerder ontwerpers gezien die zich inzetten tegen het gebruik van bont. Stella McCartney heeft in Parijs bijvoorbeeld actiegevoerd samen met PETA. Maar we zien nog altijd veel bont op de catwalk. Grote designers als Jean Paul Gaultier, Dior en ook onze eigen Viktor & Rolf zijn niet vies van een dood beestje. In Nederland heeft de Bont voor Dieren op dierendag actiegevoerd bij de show van ontwerper Frans Molenaar. Gekleed in T-shirts met de tekst ZO VIERT MOLENAAR DIERENDAG gingen tien actievoerders de catwalk op zodra het eerste bont getoond werd.

Ook bekende Nederlanders zoals Georgina Verbaan voeren regelmatig actie met de Bont voor Dieren. En met succes: kledingmerk Gaastra heeft door de acties besloten geen bont meer te gebruiken.'

Albert buigt zich over de tafel naar Fiona. 'Krijgt deze Fee nog opdrachten na haar beestachtige actie of heeft ze het te bont gemaakt?' Hij lacht loeihard om z'n eigen grap.

'Nou, modeland zit meer te wachten op gewillige schaapjes, hoor. Maar ze is beeldschoon en ze is wel in één klap bekend. Na afloop van de show sprak ik nog even met de ontwerper en hij was not amused. Hij heeft twee jaar gewerkt aan deze collectie en je kunt begrijpen dat het dan niet echt prettig is als je topstuk met rode verf verwoest wordt.' Fiona haalt een hand door haar haren en haar ogen twinkelen geamuseerd. 'Aan de andere kant is het the talk of the town, iedereen in modeland is er vol van. Ik was gisteravond nog even op een klein modefeestje en daar sprak ik iemand van de Britse Vogue en die waren ontzettend onder de indruk van zijn collectie. Betere publiciteit had hij niet kunnen krijgen. Misschien moet hij die Fee een mooie tas of een paar mooie hakken opsturen om haar te bedanken!' knipoogt ze in de camera.

Stomverbaasd staart Fee naar Fiona. 'Een tas of hakken?'

'Geef je dan wel mijn schoenmaat door,' lacht haar moeder terwijl ze naast Fee op de bank ploft. 'Wat een hartstikke leuk item! Zie je nou wel. Het is een stoere actie van je geweest. Fiona zat helemaal te glunderen.'

'Dat doet ze altijd.' Fee kan het nog niet helemaal geloven.

Haar moeder pakt de afstandsbediening. 'Misschien zegt Matthijs van Nieuwkerk er ook wel wat over? Dat zou helemaal stoer zijn, die Matthijs is zo lekker, met die wilde bos...'

Fee duwt haar hand voor haar moeders mond. 'Hou op, mam. Je hebt papa!'

'Je moet papa bellen!' reageert haar moeder.

Fee pakt haar telefoon.

'Jee, wat zou opa trots op je zijn! Hij zit vast smakelijk te lachen ergens op een wolk. Ik ga oma ook even bellen.'

Fee nestelt zich tegen een kussen van de bank en wrijft in haar ogen. Haar actie was ook bij het RTL Nieuws en Shownieuws. Ze kijkt naar de klok. Shit, het is al negen uur geweest! Ze is in slaap gevallen. Vlug springt ze op van de bank. 'Mam, opschieten, we moeten gaan.' Uit haar moeders tas vist ze de roze lipgloss van haar moeder en ze stopt hem vlug in haar jaszak. Ze bekijkt haar jurkje in de spiegel boven de schouw. De paarse maillot ligt nog op haar bed! Als haar moeder de andere kant op kijkt, grabbelt ze vliegensvlug de fles Miss Dior uit haar moeders tas en spuit een wolkje parfum in haar haren. Dan ziet ze een nieuw berichtje van Laura op haar telefoon.

FFFFEEEEE! WAAR BLIJF JE NOU? Ik start alvast met zoenonderzoek, te beginnen bij de T van Thijs, haha L.

De T van Thijs? Van schrik laat Fee de telefoon uit haar handen vallen. Ze pakt hem razendsnel weer van de vloer en leest het berichtje met trillende handen nog een keer. Shit, ze moet

Laura stoppen! Onthutst tikt ze een berichtje terug en deletet het weer. Misschien kan ze beter Samira sms'en? Nee, ze moet er gewoon naartoe. 'Mam, we moeten echt gaan.'

Haar moeder praat druk door en gebaart Fee dat ze eraan komt.

Verdomme, waarom zit Laura achter Thijs aan? Maar Thijs heeft een kaart van haar gekregen. Als hij die gelezen heeft, wacht hij vast wel op haar. Maar wat als hij hem niet gelezen heeft of Laura gewoon leuker vindt? Wat zou Laura ook alweer aandoen vanavond? Een rood topje met blote rug? Weer piept haar telefoon.

Kom sssnel! We moeten Laura redden, ze is ontzettend aan het sloeriën, hahahahah S.

Fee vliegt naar haar moeder toe en trekt aan haar mouw. 'Ik ga m'n maillot pakken en dan gaan we!'

Om halftien rent Fee over de straat naar de ingang van de disco. Bij de ingang zoeft ze door de deur, maar daar wordt ze tegengehouden door twee brede portiers.

'Dag jongedame, mag ik je kaartje zien?' vraagt een van de mannen.

'Ja, kaartje,' hiepert Fee. Ze trekt de klep van haar tasje open en grabbelt in haar spullen. 'Het is een schoolfeest. Van mijn school.'

'Dat snap ik. Maar we moeten echt een kaartje zien, dame.' De portier kijkt rustig voor zich uit. 'Doe maar rustig, hoor, ik heb geen haast.'

'Maar ik wel!' Fee gaat op haar hurken zitten en kiepert haar tas om. Waar is dat verdomde kaartje?

'Weet je zeker dat je het meegenomen hebt?' vraagt de man.

Fee propt alles terug in haar tas en springt op. 'Overhoor me maar. Ik ken alle leraren en alle lokalen. Ik zit in 1C.'

'Dat kan wel zo zijn, maar ik ken die leraren niet. Mij kun je alles wijsmaken.'

Smekend kijkt Fee naar de portier. 'Mag ik alsjeblieft naar binnen, het is belangrijk!'

De portier vouwt z'n armen over elkaar. 'Regels zijn regels, dame.'

'Nou, jij bent ook niet in de feeststemming.' Woedend frommelt Fee nog een keer in de zakken van haar jas. Alleen de lipgloss. Waar is dat kaartje? Dan ziet ze haar mentor, meneer Thomas, voorbijlopen. 'Meneer Thomas! U moet me helpen!'

'Fee, heldin, ik zocht je al!' Meneer Thomas loopt naar de deur en geeft Fee een uitbundige schouderklop.

'Ik mag niet naar binnen,' bromt Fee.

Meneer Thomas steekt z'n hand uit en trekt Fee mee naar binnen. 'Deze heldin laten jullie toch niet buiten staan? Kom op, zeg, ze is wereldberoemd!'

'Dank u, ik ben u eeuwig dankbaar.' Fee kijkt om zich heen. Waar is de dansvloer? 'Moet ik die trap daar op?'

'Ja, loop maar met mij mee. Het feest is al in volle gang. Kekke R&B-muziek, misschien ga ik mij ook eens aan zo'n bubble-dansje wagen.' Meneer Thomas slaat wild met zijn handen om zich heen en draait met zijn heupen. Per ongeluk tikt hij zijn eigen bril van zijn hoofd. Onhandig zet hij hem weer op zijn neus. 'Maar eerst trakteer ik jou op een drankje. Jee, wat ben ik trots. Je naam was overal op het nieuws!'

Terwijl Fee de trap op snelt, sjort ze haar jas uit en trekt haar knot los. Ze pakt de lipgloss en smeert een extra laagje op haar lippen. Snel bekijkt ze haar jurkje in de spiegelende muur.

'Lijkt me hartstikke leuk, bedankt, echt waar, maar eerst moet ik... Ik moet naar de wc.' Resoluut draait Fee zich om en duikt achter een plant. Snel kijkt ze op haar telefoon. Verdomme, het is nu al halftien geweest. Voorzichtig kijkt ze of meneer Thomas doorloopt. Als hij uit haar zicht is, springt ze achter de plant vandaan en rent naar de dansvloer. Geen Thijs. Onrustig kijkt ze om zich heen. Ruim een uur te laat. Logisch dat hij hier niet meer staat, ze moet hem zoeken.

Aarzelend wurmt Fee zich een weg tussen de drom dansende schoolgenoten. Ze ziet Lana in een spijkerjurkje overdreven dansen op het podium. Stom kind, denkt ze. Midden op de dansvloer staat Zerrin uit haar klas op zijn handen. Een grote kring joelende meisjes moedigt hem aan. Geïrriteerd balanceert ze op de toppen van haar tenen om te kijken of ze Thijs ergens kan vinden. Achter een glinsterende paal ziet ze Laura dansen. Zij weet vast waar Thijs uithangt. Als ze dichterbij is, ontdekt ze twee jongenshanden op Laura's billen. Verward deinst ze terug en volgt met haar ogen de armen van de jongen. Hij heeft een grijs T-shirt aan, bruine haren. De vloer lijkt plotseling in één klap onder haar voeten weg te zakken, het is Thijs! Met een ruk draait ze zich om. Ze moet iets doen. Kan ze Laura roepen? Haar meetrekken en zeggen dat er iets belangrijks is? Voorzichtig kijkt ze weer om. Dan krijgt ze pas echt een hartverzakking. Thijs en Laura zoenen! Haar hoofd ontploft. Hoe kan Laura dat nou doen? En Thijs? Wat moest hij met dat domme lijstje? Wat een ontzettende eikel. Ze druk haar ogen dicht om haar tranen te bedwingen. Leunend tegen de muur probeert ze weer rustig te worden. Misschien heeft ze het verkeerd gezien? Onopvallend gluurt ze weer naar Laura en Thijs. Ze zoenen niet meer. Heeft ze het verzonnen? Opeens kijkt Thijs haar aan over Laura's schouder.

Fee voelt haar lichaam trillen, het lijkt net alsof de dansvloer als een razende orkaan begint te draaien. Ze grijpt naar de rand van de draaitafel. Verbijsterd staart ze naar Thijs. Hij blijft naar haar kijken. 'Klootzak,' mompelt ze.

Ze draait zich om en rent naar Samira.

'Zie je wel,' zegt Samira.

Laura, Samira en Fee zitten op de stoeprand voor de disco.

'Wat nou, zie je wel?' roept Fee terwijl ze met de mouw van haar jas een traan van haar wang afveegt.

Samira legt haar arm om Fee heen. 'Ik wist wel dat je verliefd bent op Thijs. Dat heb ik ook tegen Laura gezegd, maar die geloofde het niet.'

Laura staart naar de grond. 'Vind je het gek?'

Woest staart Fee naar Laura.

'Iedereen weet dat Thijs verliefd op jou is, maar je doet er nooit wat mee. Hij is zelfs op je kamer geweest! En toen is er ook niks gebeurd.'

'Waarom heb je dat dan niet aan mij gevraagd?' vraagt Fee.

'Nou, met jou praat ik nooit over dat soort dingen. Je wordt altijd een beetje ongemakkelijk als we het over jongens hebben.' Laura staart verward naar Fee. 'Maar Samira heeft het je gevraagd.'

Geïrriteerd haalt Fee haar neus op. 'Leuk dat jullie achter mijn rug om over mij praten.'

Samira geeft Fee een zakdoekje. 'Weet je nog in de hamam? Ik heb het toen aan je gevraagd, maar je zei dat je Thijs niet leuk vond.'

'Het spijt me, Fee,' zegt Laura.

Fee legt haar hoofd op haar knieën. Ze heeft helemaal geen zin in excuses van Laura.

'Laat maar zitten, Lau, ik ben moe. Deze dag was al doodvermoeiend en nu dit. Ga maar naar huis, ik heb geen zin meer om te praten.'

Laura staat op en loopt weg. Ze pakt haar fiets en wandelt terug naar Fee en Samira. 'Misschien is het een troost dat ik maar drie seconden met Thijs heb gezoend. Zodra hij jou zag, rende hij weg.'

'Wat?' Fee kijkt op.

'Ik heb er niet eens een evaluatieformulier van gemaakt.'

Samira kijkt naar Fee. 'Zie je wel dat hij jou leuk vindt.'

'Maar waarom zoent hij dan met Laura?' zucht Fee geërgerd.

Dat is wel een heel rare manier om te laten blijken dat je iemand leuk vindt.

Laura rolt met haar ogen. 'Nou, eigenlijk zoende ik meer met hem dan hij met mij. Ik ben begonnen en hij zoende niet bepaald gewillig terug. Misschien was hij overdonderd door mij.'

'Of hij was gewoon beleefd,' zegt Samira.

'Ik heb helemaal geen zin in een jongen die beleefd is!' roept Fee.

Samira legt haar hand op Fees knie. 'Waarom ga je niet naar Thijs toe? Dan kun je hem vragen waarom hij dat deed. Ik bedoel, hij is een jongen. Jongens zijn vaag, weet je.'

'Ik heb geen zin meer in Thijs,' sist Fee.

'Je kunt toch even met hem kletsen? En vragen wat er aan de hand was? Misschien heeft hij er een reden voor.' Zorgzaam kijkt Samira naar Fee.

Fee staat op van de stoep en ritst haar jas dicht. 'Ik ga slapen.'

Laura komt naast haar staan en pakt haar hand. 'Sorry Fee, echt.'

'Laat maar.' Fee kan haar tranen nog steeds niet inhouden.

'Zal ik Thijs voor je zoeken?' vraagt Laura.

'Nee, ik ga echt. Als hij me zo ziet, wordt het al helemaal niks. Gaan jullie ook naar huis? Sam, mag ik bij jou achterop?'

'Spring zo maar bij mij achterop, dan fietsen we langs je huis. Kunnen we onderweg een plan voor jou en Thijs bedenken.' Laura geeft Fee een kus op haar wang.

Fee glimlacht en geeft Laura een knuffel terug.

L.O.V.E.

Fee staart naar het plafond. Wat heeft ze onrustig geslapen vannacht. De hele nacht heeft ze aan Thijs gedacht. Ze is wel tien keer half in paniek wakker geworden. Slaperig kijkt ze op haar wekker. Het is pas zeven uur. Hoe lang heeft ze geslapen? Hoogstens vijf uurtjes. Ze schudt haar kussen door elkaar, nestelt zich in haar dekbed en doet haar ogen weer dicht. Geconcentreerd probeert ze weer in slaap te vallen, maar het beeld van Thijs en Laura wil haar hoofd maar niet uit. Wat was er gebeurd als ze wel om halfnegen binnen was? Hadden ze dan niet gezoend? Zuchtend slaat ze haar dekbed open. Misschien kan ze beter even opstaan, theedrinken en dan terug haar bed in. Ze zwiept haar benen op de grond en schuift haar gordijnen open. Slaperig kijkt ze naar de tuin en ze wrijft verward in haar ogen. Het lijkt net alsof ze een hartje op het gras ziet. Een hartje in de tuin? Ze blaast een wolkje op de ruit en veegt met de mouw van haar pyjamajasje het raam schoon. Nog steeds ziet ze het hartje. Verschrikt schuift ze het gordijn weer dicht en loopt naar de badkamer. Ze is zeker nog aan het dromen. Gapend draait ze de kraan open en laat ijskoud water langs haar polsen stromen. Van haar handen maakt ze een kommetje, waarmee ze een plens water in haar gezicht gooit. Dan smeert ze een dikke klodder tandpasta op haar tandenborstel. Terwijl ze langzaam haar tanden poetst, kijkt ze in de spiegel. Ze ziet eruit als een zombie. Haar gezicht is lijkbleek en haar ogen zijn nog dik van het huilen.

Als Fee terug in haar kamer is, schuift ze voorzichtig het gordijn weer open. Het roze hart ligt nog steeds in de tuin. Ze pakt haar grijze joggingbroek uit de kast en schopt haar pyjamabroek uit. Uit een la pakt ze twee dikke sokken, die ze over haar voeten schuift. Snel haalt ze een borstel door haar haren en draait een dikke knot op haar hoofd. Waar is een elastiekje? Als ze haar sieradenkistje omkeert, valt haar oog op de kaarten van Thijs. Aarzelend pakt ze het lijstje en leest zijn woorden. ...hartjes tekenen, errrrg lief naar me lachen, die kusjes onder aan de kaarten zetten, blozen... Bijna moet ze er weer van blozen, maar dan mikt ze het lijstje kwaad in de prullenbak. Waarom zoent hij dan met Laura? Opeens schrikt ze op van een harde bons op de deur. Wie is dat? Vlug schuift ze de kaarten onder een stapel schriften.

'Binnen,' mompelt ze verstijfd.

'Je bent al wakker?'

Als Fee haar moeders rode badjas ziet, haalt ze opgelucht adem.

Haar moeder loopt haar kamer binnen en gaat op haar bed zitten. 'Hoe was het feest?'

'Niet echt leuk.' Fee ploft naast haar neer en legt haar wang tegen de zachte badjas.

Verbaasd haalt haar moeder een hand door Fees haren. 'Wil je erover praten?'

Fee haalt haar schouders op. 'Laat me maar even.' Die stomme tranen! Ze knijpt haar ogen dicht om de tranen tegen te houden.

'Ik denk dat ik je wel op kan vrolijken,' lacht haar moeder mysterieus.

Fee trekt haar dekbed over haar hoofd. 'Als het maar niet zo'n domme steen is, die brengen ongeluk.'

'Je raadt nooit wie er gebeld heeft.'

Voorzichtig laat Fee het dekbed zakken. Heeft Thijs haar gebeld?

'Er belde gisteravond een agent uit Parijs!' roept haar moeder.

'Wat?' vraagt Fee verwonderd.

'Je bent gevraagd voor een casting voor Stella McCartney in Parijs!' Haar moeder slaat haar armen om Fee heen.

'Stella Mcwat?' stamelt Fee.

'Stella McCartney, die modeontwerpster! Ik heb het meteen opgezocht. Het is net zoiets als Chanel en Dior. Ze heeft zulke mooie jurkjes en jassen gemaakt! Ik was op slag smoorverliefd op een zijden jurkje met allemaal goudkleurige kraaltjes... Alleen gebruikt Stella nooit bont in haar collecties. Zij heeft ook een gruwelijke hekel aan bont. En ze heeft jouw actie gezien op internet. Ze vindt je helemaal geweldig. Eind februari is haar show in Parijs en ze wil je zien.'

Fees mond valt open van verbazing. Ze wil heel hard gillen maar is te verbijsterd.

'Ik heb gezegd dat je natuurlijk niet helemaal naar Parijs komt voor alleen een casting.'

Fee worstelt zich los uit haar moeders armen. 'Hoe kan je dat nou zeggen? Mam, waarom heb je dat niet eerst gevraagd?'

'Maar dat we graag in de Thalys stappen als je de show zeker mag lopen. Wij gaan samen naar Parijs!' joelt haar moeder.

Fee staart vol ongeloof naar haar moeder. Samen naar Parijs?

'Alles wordt voor je geregeld. Ik heb zelfs de naam van het hotel al doorgekregen! En we blijven daar lekker een hele week. Gaan we samen winkelen, naar de Eiffeltoren, taartjes eten bij Ladurée, en ik moet naar de winkel van Coco Chanel op Rue Cambon! Het hotel is daar om de hoek, vlak bij het Louvre. Dat geloof je toch niet? En ik mag naar je komen kijken. Naar de show van Stella McCartney. Mijn eigen dochter loopt mee met de show van Stella McCartney! Ik ga zo hard voor je klappen.' Haar moeder geeft Fee een kus. 'Wat ben ik trots op je. Ben ik altijd natuurlijk, maar dit is wel heel bijzonder.'

Fee knijpt zachtjes in haar been. Het is toch niet te geloven? Haar hoofd duizelt van opwinding. Naar Parijs? Voor een show? Gisteren is ze nog helemaal gek gemaakt door het modellenbureau.

'Als jij papa straks even aan de praat houdt, jat ik z'n creditcard,' lacht haar moeder. 'Ik ga thee zetten, kom je zo naar beneden?'

Fee knikt en duwt haar voeten in het wollige vloerkleed.

Haar moeder loopt haar kamer uit en kijkt nog even om het hoekje naar Fee. 'Heb je eigenlijk al in de tuin gekeken?'

De tuin! Free springt op van haar bed en holt achter haar moeder aan haar kamer uit.

Op het gras liggen wel veertig roze stenen in de vorm van een hartje. Fee knielt neer op het gras en draait de stenen een voor een om. Wie heeft dit voor haar gedaan? Nergens ligt een briefje. Het moet Thijs zijn, dat kan niet anders. Ze voelt haar hart dwars door haar trui heen bonzen. Met dichtgeknepen ogen tuurt ze langs de heg. Hoort ze daar iets ritselen? Snel draait ze zich om en slaat een hand voor haar mond. Het hok van Siem is helemaal versierd met roze hartjesballonnen. Als ze voor Siems hok hurkt, schrikt ze opnieuw. Siem heeft een glanzend lintje om en naast zijn drinkbak ligt een roze envelop. Voorzichtig trekt Fee de envelop uit het hooi en ze scheurt hem snel open. Op de kaart staat een pannenkoek met daarop een hartje getekend en twee letters: T en F. Vlug keert Fee de foto om.

Sorry van gisteren,

lieve Fee,

ik hou alleen van jou.

Verschrikt kijkt Fee om zich heen. Thijs? Is Thijs hier in de tuin? Ze gluurt door de blaadjes van de heg. Dan ziet ze op de deur van de schuur een roze bordje met een pijl. De pijl wijst naar het pad achter de schuur. Vlug rent ze het pad op en aan het einde van de schutting ziet ze weer een roze pijl hangen. Haar hart dreunt nu dwars door haar ribbenkast heen. Heeft Thijs die pijlen opgehangen? Voorzichtig sluipt ze langs de schutting. Op de lantarenpaal aan de overkant hangt weer een pijl. Een speurtocht? Haastig rent ze terug de tuin in om haar fiets te pakken.

Terwijl ze ongeduldig aan haar fiets sjort, ziet ze haar moeder in haar badjas voor het raam staan. Snel draait ze haar hoofd weg. Ze hoort haar moeder met haar ring tegen het raam tikken. Ga weg, denkt Fee. Ze moet de pijlen volgen!

Op het hek voor het Vondelpark vindt Fee weer een roze pijl. Ze springt van haar fiets en zet hem vast tegen een paaltje. Zou Thijs haar al kunnen zien? Zenuwachtig kijkt ze om zich heen, frummelt aan haar staart en loopt het pad op. Het lijkt wel lente vandaag. Terwijl iedereen in dikke jassen en sjaals door het park wandelt, voelt ze de zon op haar wollen muts branden. Aan het einde van het pad hangt er weer een roze pijl aan een boom. Fee kijkt naar de kant waar de pijl heen wijst. Zou hij daar zijn? Bij de vijver? Even aarzelt ze, maar dan ziet ze Thijs op een bankje zitten. Hij zit met zijn rug naar haar toe en leest een boek. Fee staart naar zijn oranje jas en donkere haren. Zelfs van de achterkant is hij leuk, denkt ze. Opeens wordt ze heel erg zenuwachtig. Wat moet ze doen? Moet ze op hem afrennen en in zijn armen springen? Of zal ze hem roepen? Ze kijkt naar haar joggingbroek. Waarom heeft ze geen leuk jurkje aangedaan? Wie gaat er nou naar een afspraakje in een joggingbroek? Twijfelend wiebelt ze op haar gympen. Opeens kijkt Thijs om.

Fee zwaait verlegen.

Hij staat op en loopt rustig naar haar toe. 'Je bent er al,' lacht

Thijs verlegen en hij geeft haar een kus op haar wang. 'Ik dacht dat je wel lang uit zou slapen na het feest.'

Fee voelt haar wang zachtjes tintelen.'Ik kon niet slapen.'

'Ik ook niet. Ik probeer een boek te lezen, maar ik kan me helemaal niet concentreren.' Thijs slaat een arm om Fee heen.

'Last van de vogels?' lacht Fee.

'Misschien...'

Hij kijkt haar zo lief aan dat ze zenuwachtig begint te giechelen.

'Fee, ik ben al zo lang verliefd op je,' zegt Thijs. 'Je bent ontzettend leuk en grappig.

En mooi.' Thijs legt zijn hand legen Fees wang.

'Ik heb puntknieën.'

'De mooiste puntknieën die ik ken.'

'Je vindt me alleen maar leuk omdat ik model ben.'

'Lieve Fee,' Thijs pakt Fees handen en geeft haar vingers een voor een kusje, 'ik vind je leuk omdat je zo lief bent, omdat je Post-its met konijnen op een bontjas plakt, omdat je zo dromerig kan kijken, omdat je hartjes tekent op je pannenkoek, omdat je denkt dat niemand je mooi vindt terwijl je op een elfje lijkt en omdat je roze wangen krijgt als iemand iets liefs tegen je zegt.'

'Waarom zoen je dan met de hele school?'

'Om jou te vergeten.' Warrig haalt Thijs een hand door zijn haren. 'Weet je, ik voelde me deze zomer totaal verward, omdat ik gewoon te verliefd op je was. Ik kon alleen nog maar aan jou denken. Ik dacht dat je mij niet zag staan, helemaal toen je ook nog model werd. Alleen maar mooie jongens om je heen en die aandacht. Ik heb de knop omgedraaid omdat ik je wel moest vergeten. Maar ik kan je helemaal niet vergeten.' Thijs rommelt met de punt van zijn schoen door het grind. 'Daarom ben ik maar een beetje rond gaan zoenen. Dat doen jongens soms, het stelt geen zak voor. Ik voelde er helemaal niks bij.'

'Een tong?'

Thijs lacht. 'Ja, alleen een tong. Kom eens hier jij.'

Thijs trekt zachtjes Fees roze muts van haar hoofd en legt z'n handen langs haar wangen. 'Je bent zo leuk.'

Dromerig kijkt Fee naar Thijs. 'Heb je mijn kaarten dan niet gevonden?'

'Ik wist niet dat ze van jou waren! Eerst wel. Weet je nog dat we samen buiten zaten voor wiskunde? Toen was ik helemaal blij, omdat ik dacht dat de kaart van jou was. Maar toen kwam die Roy met z'n gladde praatjes en jij zat alleen maar naar hem te kijken...'

'Echt niet!' roept Fee. 'Roy is een sukkel, ik vind hem helemaaaal niet leuk!'

'En daarna zag ik je buiten met die jongen, dat model.'

'Daar ging jij nepzoenen met mij.'

'Vanbinnen werd ik helemaal gek!' Thijs strijkt met z'n vingers langs Fees wang.

Fee staart naar Thijs zijn ogen. Ze zijn bruin met een dun groen randje eromheen. 'En Laura...' vraagt ze bedeesd.

'Ik was gisteren om kwart over zeven op het feest. Heb alleen maar naar de deur zitten staren of je er al was. Om halftien was je er nog niet.' Thijs schraapt z'n keel. 'Laura zat al de hele avond naar me te kijken en opeens dacht ik: het is Fee helemaal niet. Die kaarten zijn van Laura! Ik had het zo gehad. Laura kwam met me dansen en ik was de weg gewoon kwijt. Ze probeerde me te zoenen en ik heb haar even terug gezoend. En daar stond jij. In dat glitterjurkje...'

Fee grabbelt zenuwachtig in haar jaszak en pakt een pakje kauwgom. 'Kauwgom?'

Thijs zucht en pakt Fees hand. 'Die zoen is echt het allerstomste wat ik kon doen...'

'Inderdaad,' zegt Fee terwijl ze een kauwgompje in haar mond schuift.

'Heb je al ontbeten?' vraagt Thijs.

'Een appel.'

'Zullen we croissantjes halen bij de bakker? Gaan we samen ontbijten bij de vijver.'

Aarzelend kijkt Fee naar Thijs. Eerst moet ze zeggen dat ze hem ook leuk vindt. Langzaam kauwt ze op haar kauwgom. 'Thijs?' Ze slaat haar armen om hem heen en warmt haar handen aan zijn gloeiende nek. De zenuwen gieren door haar buik. Ze moet het nú tegen hem zeggen.

'Ik vind jou ook heel leuk. Al vanaf het eerste moment dat ik je zag.'

Zachtjes drukt Thijs z'n lippen op haar mond. 'Ik heb zo vaak gedroomd dat je dit zou zeggen.'

'Ik ook,' fluistert Fee en ze kust hem terug.

Evaluatie Thijs
door: Fee

kuzzz

- tijdstip: 8.24 uur
- locatie: Vondelpark
- weer: geen idee, ik had het wel stikheet!
- duur van de kus: 134 minuten !!!
- wel of geen Labello: geen
- kleding Fee: joggingbroek, capuchontrui, All stars, streepjessjaal, roze muts.
- kleding Thijs: spijkerbroek, nikes + grijs T-shirt, oranje jas.
- Handen Fee: Hand in zn nek, hand in zn haar.
- Handen Thijs: Hand op mijn bil, hand onder mijn trui & op mn rug!!
- Geur: naar de zee, mmmmm...
- smaak: pepermunt
- cijfer: 10++++++ !!!

100% Testjes

Ben jij een Fee, een Samira of een Laura?

Ben jij net zo dromerig als Fee, zo relaxed als Samira of een jongensjager als Laura?

Wat doe jij het liefst tijdens een schoolfeest?

a. De hele avond dromerig naar mijn grote liefde turen…
b. Kletsen en dansen met mijn beste vriendinnetjes.
c. ZZZoenen: een schoolfeest is HET moment om onderzoek te doen voor mijn zoenboek!

Zou jij wel eens naar de hamam willen?

a. Als ik m'n skipak aan mag houden wel.
b. Lijkt me erg gezellig om een dagje te tutten met m'n vriendinnen!
c. Tuurlijk! Ik dartel graag in mijn bikinibroekje rond in zo'n badhuis.

Heb jij een zoenboekje?

a. PFFF, ik ben al blij als ik mijn Big Love durf aan te kijken…
b. Zoenboekjes zijn zooo onromantisch!
c. Yes! Er staan wel twintig jongens in mijn zoenboek, ik moet snel weer eens kussen!

Tijdens de pauze stapt er een very good-looking jongen het schoolplein op. Wat doe je?

a. Vlug trek ik mijn capuchon over mijn hoofd, van knappe jongens word ik KNALrood.

b. Lachen om mijn vriendinnen, die gaan altijd raar doen als er leuke jongens in de buurt zijn.
c. Ik strek m'n rug en schud snel mijn haren los: knappejongensalarm!

Je bent ontdekt als fotomodel en je eerste fotoshoot is samen met tien knappe jongens in zwembroek. Wat doe je?
a. Dat zou ik heel erg doodeng vinden... Mijn armen gaan al trillen als ik eraan denk!
b. Ik let niet zo op die jongens en zorg dat ik goed op de foto sta.
c. Phoeeiii! Ik vraag meteen hoe ze heten en noteer tien nieuwe namen in mijn zoenboek! Mag ik ze ook even aanraken?

De uitslag:

Meeste a?
Jij bent 100% Fee! Beetje dagdromen is jouw grootste hobby en van jongens word je stikzenuwachtig. Heb je net zo'n lief vriendje als Thijs?

Meeste b?
Jij lijkt het meest op Samira. Twee voetjes op de vloer en je hoofd af en toe in een roze liefdeswolk.

Meeste c?
Oeh la la, jij bent net zo'n jongensjager als Laura! Zie ik daar een lekker hapje lopen? Knappejongensalarm!

100% Fotomodel Test

Zou jij Holland's Next Topmodel willen zijn?

Volgende week is er een zwembadparty voor de hele school. Wat denk je?

a. Ik ga een paar uur met m'n hoofd in de vriezer hangen zodat ik griep krijg.
b. Voor mijn hele klas in zwemkleren? Hopelijk kan ik een degelijk badpak met lange pijpen vinden.
c. Joehoe! Ik ben supergoed in een tropisch bikinidansje!

Hoeveel slaap heb jij nodig?

a. Slapen is mijn grootste hobby! Het liefst doezel ik de hele dag door. GAAAP.
b. Ik kan best één nachtje zonder slaap maar daarna stort ik in!
c. Slapen? Dat is zooo zonde van mijn tijd!

JJJiippieJJEEE! Je bent uitgekozen als model voor een Chanel-campagne! O ja, je moet wel je haar afknippen en ze verven het knalpaars.

a. DAAAG! Al krijg ik tien Chanel-tassen, een zomerhuis op Honolulu of een jaar lang gratis slagroomtaarten: ik knip nooit mijn haar af!
b. OEF, dat is even slikken... Maar ik ga met een doos tissues onder m'n arm snikkend naar de kapper.
c. Kom maar op met die schaar. Voor een Chanel-campagne heb ik echt ALLES over!

Tijdens het schoolfeest loopt er een fotograaf rond. Wat doe je?

a. Ik duik weg achter een plantenbak, poseren is niks voor mij.
b. Ik pluk mijn vriendinnen van de dansvloer voor een gezellig vriendinnenkiekje.
c. SMILE! Ik werp me direct voor de camera. Dit is mijn avond, ik word eindelijk ONTDEKT!

Hoe is jouw Engels?

a. Verie teribol slecht: ik heb een wiskundeknobbel.
b. Ik ben geen natuurtalent, maar ik ben een harde werker! Vanaf nu sleep ik mijn studieboek overal mee naartoe.
c. My English is very GREAT!

De uitslag:

Meeste a?

Een carrière als fotomodel is niks voor jou! Hiervoor ben je een tikkeltje te eigenwijs. Jij zit liever achter een plantenbak dan in je bikini voor de camera!

Meeste b?

Het zal even wennen zijn, maar na een paar fotoshoots heb jij de smaak te pakken! Nodig snel je vriendinnen uit voor een modellenmiddag. Haren föhnen, hippe outfits kiezen, lipgloss op en poseren maar!

Meeste c?

Jij bent een geboren fotomodel! Haren eraf, paarse lokken of poseren in je bikini op een ijsschots? Jij staat er graag midden in de nacht voor op. Viktor & Rolf opgelet: hier komt Holland's Next Topmodel!

Bontjassen Test

Val jij in katzwijm bij het zien van een bontjas of lopen de rillingen over je rug?

Wat vind jij ervan dat Fee de bontjas tijdens een modeshow rood gespoten heeft met een spuitbus?

a. Wat is Fee een heldin! Ik had precies hetzelfde gedaan.
b. Ik vind het heel erg stoer van haar, maar zelf had ik dat nooit gedaan.
c. Heel erg dom! Je gaat je modellencarrière toch niet op het spel zetten voor een paar konijnen?

Hoe denk jij dat zeehonden waarvan een bontjas gemaakt wordt, gedood worden?

a. Die zeehonden worden doodgeknuppeld om de vacht mooi te houden. Gruwelijk!
b. Ik denk dat ze een spuitje krijgen en zonder pijn inslapen?
c. PFFFF, dat weet ik niet, hoor.

Wat denk jij als je een dame in een bontjas ziet?

a. Ik krijg er rillingen van en trek een vies gezicht naar die mevrouw. Belachelijk dat ze een bontjas draagt!
b. Dat moet ze zelf weten, maar een pluizig nepbontje is zo veel mooier.
c. Ik wapper hysterisch met mijn handen: zooo Gucci!

Stel: je wint een bontjas van Chanel. Wat doe je?

a. Ik haal de jas op, spuit hem vol met rode verf en ga demonstreren op de Dam.
b. Die prijs weiger ik natuurlijk, geen haar op m'n hoofd die erover denkt om in een jas van echt bont te gaan lopen.
c. Ik shop er direct een geruit jurkje en een paar hippe laarzen bij: zooo fashionable!

Hoeveel konijnen zijn er volgens jou nodig om een bontjas te maken?

a. Veertig konijnen. Ik vind het echt vreselijk. Die konijnen moeten een halfjaar in een piepklein hokje zitten voor zo'n jas!
b. Een stuk of tien?
c. Geen idee! Ik denk er eigenlijk niet zo bij na dat een bontjas van echte konijnen gemaakt wordt.

De uitslag:

Meeste a?

Jij bent, net zoals Fee, 100% tegen bont! Jij vindt het belachelijk dat dieren gedood worden enkel om er een jas van te maken.

Meeste b?

Zelf zou jij nooit een bontjas dragen, omdat je het zielig vindt dat daar dieren voor gedood worden. Maar als iemand anders wel een bontjas wil dragen, moet die persoon dat zelf weten.

Meeste c?

Bontjassen vind jij geen probleem. Kijk eens op de website www.bontvoordieren.nl, daar kun je lezen hoe deze jassen gemaakt worden…

Lieve allemaal!

Toen ik zelf 13 jaar was hield ik graag stille protesten tegen bont. Greenpeace-buttons op mijn spijkerjasje, zeehondenposters voor het raam en als ik een Cruella met bontjas tegenkwam, trok ik een heel vies gezicht.
Nog steeds erger ik me rot aan mensen die het normaal vinden om bont te dragen. Daarom vind ik het slecht dat er in de modewereld nog altijd bont wordt gebruikt. Ik hou erg van mooie kleding en snuffel ook rond in de winkels van Viktor & Rolf, Dior, Louis Vuitton en Dolce&Gabbana, maar die bontjassen moeten eruit! Ik hoop van harte dat deze merken snel bontvrij worden, dat zou de modewereld een stuk vrolijker maken.

Bont voor Dieren is een stichting die zich inzet voor de bescherming van pelsdieren. Zij vinden dat je geen dieren moet doden alleen maar om van hun vacht een bontjas te maken. En dat vind ik ook!

Ik ben heel benieuwd wat je van *100% Fee* vindt. Laat je een berichtje achter op mijn site www.nikismit.nl?

Tot het volgende 100%-boek!

Veel Liefs,
niki x

PS Voor het verhaal vond ik het mooier dat Fee één konijn heeft, Siem. In het echt worden konijnen gelukkiger als ze met z'n tweeën of met meer zijn. Dat komt omdat konijnen sociale dieren zijn, ze houden van gezelschap. Kijk voor meer informatie op www.dierenbescherming.nl.

Heb jij alle 100%-boeken gelezen?

Niki Smit
100% Bo
De Fontein

100% Love
Zomerkriebels
Niki Smit
Paris
Met lovetestjes, shoptips en zomerse zoentips!

Niki Smit
100% Fee
De Fontein